COLLECTION POÉSIE

LORAND GASPAR

Le quatrième état
de la matière

nouvelle version

Sol absolu
Corps corrosifs

avec un essai
d'autobiographie inédit

GALLIMARD

On m'a dit que je suis né en 1925, dans une petite ville de la Transylvanie orientale, dont j'ai pu faire la connaissance quelques années plus tard. Mes parents, tous deux originaires de ces villages rudes des hauts plateaux des Carpates, se sont rencontrés là dans les années qui ont suivi la guerre de 14-18 ; mon père y était venu chercher du travail après sa démobilisation. Enfant de citadins néophytes et heureux de l'être, avec quelle impatience j'attendais les vacances pour retourner là-bas, « derrière le dos de Dieu », comme on disait. J'avais, certes, une affection sans limite pour ma grand-mère maternelle et pour mon oncle B., célibataire, le seul de la famille, à mes yeux d'enfant, à n'avoir pas trahi nos origines au sein de la tribu de paysans-guerriers installés là jadis pour défendre le pays à l'est contre les nouvelles vagues d'envahisseurs que l'Asie continuait à déverser sur l'Europe. J'ai appris plus tard que, du côté de ma mère, je n'avais pas une goutte de sang « székely » (nom spécifique de ces Magyars de la montagne). Mon grand-père maternel était arménien et dans la famille de ma grand-mère on parlait un dialecte allemand. Il ne manquait à la mosaïque que l'élément roumain. Cet oncle B., après avoir acquis un diplôme d'études commerciales en Allemagne, était revenu « derrière le dos de Dieu », où, comme le disait mon père, il démontra sans peine qu'il n'avait pas la moindre notion des affaires. Je

7

l'aimais beaucoup. C'était une sorte de philosophe taoïste, parlant peu, riant volontiers, méditant le plus souvent derrière le mégot sempiternel d'une cigarette roulée, heureux de vivre, buvant sec. Il est mort il y a quelques années, à l'âge de quatre-vingt-six ans, « derrière le dos de Dieu », dépouillé de tout, sa bonne humeur exceptée. Ma grand-mère, petite et maigre, vêtue de gris et de noir, me paraissait entièrement transparente. Je ne l'ai jamais entendue élever la voix, encore moins se plaindre, elle n'était qu'attention, que dévouement. Elle est morte seule au milieu de la marée terminale de la deuxième guerre qui avait emporté loin d'elle ses dix enfants et leur nombreuse progéniture.

Ces deux êtres régnaient sur un petit univers de bêtes, de granges, de greniers et de caves, de charrettes, de charrues et de herses, sans parler de tout le bric-à-brac d'outils, de clous, de cordages et de bidons qui remplissait l'atelier. Derrière les étables coulait un ruisseau de montagne où les garçons du village m'ont appris à attraper les truites à la main, sous les pierres. Les grandes forêts de sapins étaient à quelques heures de marche et parmi les bergers de la montagne il y en avait qui savaient apprivoiser les ours en les laissant en liberté.

Du côté de mon père, à une vingtaine de kilomètres de là, il n'y avait plus que quelques tombes pour parler des ancêtres. Restée veuve immédiatement après la naissance de mon père, ma grand-mère avait vendu le peu qu'elle possédait pour élever ses deux fils. En lavant le linge des voisins elle avait pu faire faire des études à l'aîné, tué dès la première bataille de la première guerre. Elle avait placé mon père dans un petit séminaire d'où il s'est évadé à la première occasion pour se faire embaucher comme apprenti mécanicien. Le seul souvenir que je garde lié à cette grand-mère paternelle est celui d'un petit matin encore très sombre et froid, je devais avoir trois ou quatre ans, où à moitié endormi mes parents m'ont fourré dans une grande voiture noire, comme je n'en avais jamais vu, en me disant : « Nous allons à Szàrhegy enterrer ta grand-mère. » Ma mémoire n'a retenu que le noir de cette voiture, le froid d'une nuit mal dissipée, et cette notion mystérieuse, rencontrée pour la première fois, de la mort.

Ma ville natale, quarante mille habitants à l'époque, est bâtie sur les bords d'un fleuve où nous allions nager en été et patiner en hiver. A une heure de marche de la maison les pentes de la montagne étaient suffisantes pour faire du ski et de la luge. Durant les quatre mois d'hiver, entre les joies de la neige et les courses effrénées sur la patinoire ouverte jusqu'à dix heures du soir, je me demande quand nous trouvions le temps de faire nos devoirs.

Depuis son évasion du séminaire, mon père avait fait du chemin. Il avait les vertus nécessaires pour réussir, en partant de rien, dans les affaires ; au continent près, c'était un self-made man américain, tel que j'en ai rencontré plus tard dans je ne sais quel livre contant leurs épopées. Il en avait l'énergie, l'acharnement, le flair. N'avoir pas émigré aux Etats-Unis après la guerre était, je crois, le seul regret de sa vie. La Transylvanie n'étant pas l'Amérique — la plupart des gens ne savent même pas où la situer, et c'est une Américaine, qui, sans en savoir plus, m'apprit que c'était le pays de Dracula —, la connaissance de plusieurs langues paraissait essentielle à mon père. Il veillait personnellement à ce que j'apprenne les trois langues en usage dans le pays ; il y ajouta, dès mes études primaires, une quatrième, le français. En dehors des langues, il fallait que je sois fort en mathématiques et en physique, tout le reste étant littérature. Il ignorait sans doute que l'homme qu'il avait chargé de m'inculquer les bases de cette nouvelle langue — nous l'appelions le Parisien, car il avait fait des études de musique à Paris — ne me parlait que de littérature. Dès que je fus capable de le comprendre, il me lisait ou il me faisait lire à voix haute Les Lettres de mon moulin. Quant à mon professeur de lycée, quelques années plus tard, et cela fait partie de ces choses miraculeuses qui arrivent dans ces petites villes du bout de monde dont, mis à part un événement sportif ou des scandales de mœurs, rien ne dérange la monotonie, il nous faisait venir, deux ou trois de ses élèves, chez lui, et c'était là une suprême récompense, pour nous initier aux mystères de la poésie de

Rimbaud. Je suivais avec le même enthousiasme les envolées de notre professeur de littérature hongroise qui trouvait que mes tentatives de nouvelles écrites à l'eau de rose n'étaient pas dénuées d'intérêt. Mon père, lui, considérait avec un mélange d'indulgence et d'inquiétude ces premières sottises publiées par quelque revue de boy-scout. Tant que mes notes de sciences exactes étaient bonnes, ce n'était pas bien grave ! Le jour où, à treize ans, je lui confiai que je voulais devenir physicien et écrivain à la fois, il m'a regardé longuement, comme on regarde une espèce dont on a entendu vaguement parler, mais qu'on n'a jamais rencontrée, puis, avec un sourire pour alléger ma peine (ou la sienne), il prononça l'oracle : « Ce que j'ai eu tant de peine à construire, tu le détruiras ! » La prophétie s'est réalisée sans que j'aie eu à y mettre du mien.

En 1943 j'ai été admis à l'Ecole polytechnique de Budapest ; mon père était au comble du bonheur ; ce ne fut pas pour longtemps. L'armée soviétique victorieuse s'approchait des frontières ; après quelques mois d'entraînement intensif je me suis retrouvé derrière un canon, qui aurait dû contribuer à freiner le déferlement des chars russes. De cette guerre je ne dirai rien, hors mon étonnement d'en être sorti. Ce fut dans un wagon à bestiaux, fermé, qui m'emmenait vers une destination inconnue, en Allemagne. En octobre 1944, à la suite, nous avait-on dit, d'une tentative de négociation d'une paix séparée, les SS de Skorzeny s'emparèrent des responsables et installèrent le parti nazi hongrois au pouvoir.

C'était mon premier voyage à travers l'Allemagne ; je n'en ai vu qu'un ciel presque constamment enfumé, le défilé interminable des poteaux télégraphiques, les murs sales de quelque gare d'aiguillage où nous restions en rade pendant des jours, des grands paysages ouverts où nous nous faisions arroser par les chasseurs de l'aviation alliée. Ce tourisme un peu particulier s'est achevé au bout d'un mois dans les baraquements d'un camp du bassin de Souabe-Franconie. Que je sois descendu indemne de ce train me fut un nouveau sujet d'étonnement, suivi bientôt de beaucoup d'autres. Quand, au mois d'avril 1945, les troupes alliées ayant traversé la Forêt-Noire s'approchaient de Stuttgart, la confusion devint si grande qu'il nous fut possible d'organiser et de réussir une évasion. Après quinze jours de jeu de cache-cache nous avons pu sortir de nos terriers, les troupes françaises contrôlaient la région. Le commandant de l'unité qui tenait le bourg de Pfullendorf nous fit distribuer des vivres et nous ordonna d'aller nous présenter à Strasbourg. Ce fut une magnifique promenade à travers le Wurtemberg et la Forêt-Noire. Je me rappelle les villes allemandes à moitié en ruine et, tout autour, la jubilation de la nature. Un an plus tard, après bien d'autres tribulations, j'arrivais à Paris. C'était une fois de plus le printemps, les marronniers du Luxembourg étaient en fleur, les gens souriaient dans les rues, je me disais que le mot liberté avait un sens, c'était le plus beau jour de ma vie.

J'ai trouvé là un petit groupe de jeunes gens d'Europe centrale désirant, comme moi, rester en France. Des membres dévoués de la diaspora hongroise de Paris et leurs amis français nous aidaient à trouver du travail. Cuisinier, valet de chambre, débardeur des halles, démarcheur, veilleur de nuit et tant d'autres emplois de fortune nous paraissaient, à mes camarades et à moi, tenir du prodige à côté du labyrinthe d'où nous émergions. Quand je repense à ces premières années parisiennes, objectivement difficiles, je ne me souviens que d'un bouillonnement joyeux, d'une longue fête d'amitié et d'entraide. Que de nouveaux visages, que de nouvelles manières de voir et de vivre ! Que de générosité dans l'accueil après tant d'agressivité et de haine ! Tout en travaillant, j'ai pu, dès le mois d'octobre, m'inscrire au P.C.B., puis les années de médecine se sont succédé. D'où venait ce changement de cap ? L'idée de la médecine avait surgi, puis mûri peu à peu pendant mon long cheminement souterrain. J'y entrevoyais naïvement une sorte de synthèse entre deux pôles qui ne cessaient d'exercer une attraction également puissante sur mon esprit, l'art et la science. Ce n'était pas aussi simple.

On pouvait se nourrir à peu de frais avec une baguette et des œufs, des pâtes ou des frites. Une fois par semaine j'allais reconstituer mes réserves caloriques, protidiques et affectives chez les parents d'un camarade de sous-colle, qui me comblaient de bonnes choses. Il était plus difficile de trouver un logement bon marché ; nombreux étaient les étudiants aux ressources modestes qui n'arrivaient pas à se loger. Un jour, un groupe enthousiaste et déterminé s'est avisé du manque d'emploi des anciennes maisons closes, closes pour de bon depuis la loi Marthe Richard. Celle de la rue Blondel fut prise d'assaut ; le gouvernement finit par en céder trois aux étudiants : les Maisons communautaires étaient nées. Un autre ami, militant de l'association, réussit à m'y faire admettre. C'est ainsi que je devins, en 1947, l'un des locataires du jadis célèbre Sphinx, boulevard Edgar-Quinet. Nous formions une république à tous points de vue bigarrée, difficile à gouverner. Récolter les loyers, défiant pourtant toute concurrence, était déjà une affaire. Quant aux corvées, elles échouaient régulièrement aux mêmes : ceux dont la tolérance au désordre et à la crasse était la moins bonne. D'autres heurts naissaient des exigences fort diverses qu'imposaient aux uns et aux autres les études poursuivies. Entre ceux qui avaient à user sérieusement leurs fonds de culottes et la bande de joyeux fêtards groupée autour de quelques étudiants des Beaux-Arts, il y eut des flambées de guerre civile suivies de cessez-le-feu célébrés en commun. Ce fut là une expérience de la vie en société des plus salutaires.

Quand nous rentrions le soir, ces dames dont nous usurpions la demeure étaient toujours là sur le trottoir, fidèles à leur poste. Nous les connaissions toutes ; nos conversations étaient limitées ; notre curiosité devait leur sembler incongrue.

Les études de médecine nous paraissaient au départ interminables. Nous devions vite nous rendre compte qu'elles avaient été bien trop courtes. En 1954 une annonce attira mon attention en salle de garde : le poste de chirurgien de l'hôpital français de Bethléem était vacant. Quelques mois plus tard, j'embarquais avec ma femme et trois enfants — dont l'aîné n'avait pas encore trois ans — dans un DC 6 en partance pour Beyrouth. Dans l'espace et dans le temps, une nouvelle étape s'ouvrait ; j'étais impatient de connaître ces villes, ces lieux dont le seul nom suffisait à peupler d'images fabuleuses mon cerveau. Damas, Alep, Antioche, Tyr, Sidon, Jérusalem, Jéricho, le Jourdain, la mer Rouge, le Sinaï, et combien d'autres ! J'allais à la rencontre d'un passé prodigieux ; j'ai reçu de plein fouet, et dans sa continuité, la réalité vivante d'un présent multiple et complexe. La pureté du chant des paysages millénaires portait avec une sérénité immuable la violence des passions des hommes.

Lors de cette première escale, la capitale libanaise ne m'a rien livré de ses secrets, ni le pays de son charme. J'étais stupéfait par la mobilité enchevêtrée de cette foule de Beyrouth, dessinée sur un fond intemporel, parfois onirique. La force des contrastes, la dynamique des contradictions me donnaient les premiers éléments, superficiels mais signifiants, d'une construction ambitieuse et fragile. On passait en une heure de temps des sommets enneigés à la mer, en quelques minutes des quartiers somptueux aux bidonvilles, il y avait autant de mosquées que d'églises. Plus tard, y revenant souvent, j'ai aimé flâner dans les vieux quartiers marchands, bercé par les bruits et les odeurs, observant tous les scénarios dont est prodigue la vie de ces souks du Proche-Orient. Je pensais aux Phéniciens de l'Odyssée qui « apportaient une foule de breloques dans leur vaisseau noir » ; j'imaginais l'agitation bigarrée de ces ports, de ces comptoirs de la Méditerranée antique, investis par ces commerçants-navigateurs — « marins renommés mais gens rapaces » — que furent Tyriens et Sidoniens. A Damas comme à Jérusalem, à Alep, à Bagdad ou au Caire, les traditions marchandes étaient bien vivantes, mais Beyrouth en quelque sorte les résumait toutes. Vous entriez dans une boutique « juste pour regarder quelque chose », pour acheter une bricole ; un quart d'heure plus tard, en dépit de vos protestations les plus énergiques, vous aviez tous les trésors de la caverne d'Ali Baba étalés devant vos yeux, pendant que, vaincu mais content, vous siroticz un café arabe parfumé à la rose. Et si au milieu de toutes ces merveilles vous aviez le courage de ne rien trouver à votre

13

goût, vous pouviez, après un brin de conversation, repartir sans vous faire injurier.

C'est un DC 3 qui nous emmena de Beyrouth à Jérusalem. Nous arrivions par l'est, c'est-à-dire par le désert, après avoir contourné Israël. L'été du Proche-Orient était fermement installé, l'avion survolait assez bas les mamelons dénudés, le rythme beige et brun des grandes ondulations sensuelles des montagnes d'Ammon et de Moab, séparées de la chaîne judéenne par la faille profonde du Ghôr où j'apercevais le mince gisement sinueux de verdure qui accompagne le Jourdain jusqu'à son abouchement dans la mer Morte. Issu d'un pays de forêts, qu'y avait-il dans ma composition qui pût si immédiatement entrer en résonance avec la vibration de cette terre désolée ? Et chaque fois, au long de ces années, qu'après une absence plus ou moins longue j'y revenais, la perception de ces couleurs pauvres, de ces courbures, de ces tables, de ces failles rythmées, se déployant à la manière d'une fugue, m'inondait, physiquement, de la même joie évidente et indicible... J'étais amoureux de ce pays.

Le DC 3 a atterri sur le minuscule aérodrome de la vieille Jésuralem. Pilotée par une jeune sœur très moderne, une jeep préhistorique nous emmena, en faisant des haltes dans les montées pour que le moteur reprenne son souffle, vers Bethléem. Coupée de la sortie sud de Jérusalem par le « partage », la Bethléem de l'époque était une bourgade gracieuse de quelque dix-neuf mille habitants, entourée d'un essaim de petits villages, de collines plantées d'oliveraies, de vignes et de vergers. En arrivant, on me montra sur la droite le tombeau de l'exquise Rachel, l'épouse préférée, morte quelque part sur la route du retour (de Mésopotamie ou de Transjordanie ?) en accouchant de Benjamin, le dernier fils de Jacob. Exemple entre mille de ces lieux dont le régionalisme des traditions se dispute la possession. Ce même tombeau, le livre de Samuel (10, 2) le situe dans les environs de Béthel, sur le territoire du fils de la main droite.

L'hôpital se trouve dans l'extension moderne de la ville, au nord-est. De notre maison, je voyais, entre les pins for-

14

tement inclinés sous les vents dominants, les maisons du village de Beit-Jālā, embrassant le sommet d'une colline plantée d'abricotiers.

Occupant les trois côtés d'un rectangle planté de jardins, bordé d'une galerie à colonnes, les bâtiments de l'hôpital ont été construits au XIXᵉ siècle. L'église et l'habitation des sœurs en forment le quatrième côté. Les charmes de cette architecture de couvent ne sont guère accordés aux exigences fonctionnelles d'un hôpital moderne. Pourtant avec un peu d'organisation on pouvait y faire du bon travail. Deux fois par semaine je me rendais à l'hôpital français de Jérusalem, par une petite route tortueuse qui longeait en la dominant la vallée du Cédron ; du point le plus élevé, près du village de Sour-Bahr, j'apercevais par temps clair, tout au fond de la vaste pente moutonnante que forment les montagnes du désert de Judée, le miroir de la mer Morte. Lors du partage de la ville en 1948, l'hôpital français s'était retrouvé du côté israélien, sans grande utilité, en marge d'un système hospitalier qui ne manquait de rien. Avec beaucoup de courage, les sœurs de Saint-Joseph, qui dirigeaient l'établissement, s'étaient réinstallées du côté jordanien, dans un ancien hôtel passablement délabré, au sud de la colline de l'Ophel où les archéologues situent l'emplacement de la ville de David.

L'hôtel-hôpital était sis au lieu-dit Saint-Pierre en Galicante, dominant le village de Siloë. L'église du même nom avait été bâtie au-dessus d'une cave creusée assez profondément dans le rocher. Une des nombreuses traditions pieuses prétend que c'est la prison où Jésus a passé la nuit après avoir été interrogé par le Grand prêtre et le Sanhédrin. Hypothèse peu probable, mais il y a là un escalier qui descend vers la piscine de Siloë et qui devait exister du temps du Christ.

L'emplacement était difficile d'accès, les locaux peu appropriés et les malades nombreux. Des crédits obtenus permirent d'envisager la construction d'un nouvel hôpital ; à peine un an plus tard, grâce à l'énergie incomparable des sœurs, ce fut chose faite. Des bâtiments spacieux et clairs, une installation moderne accueillaient désormais les ma-

15

lades sur les hauteurs du Cheik Jarrah, dans un nouveau quartier, situé au nord de la vieille ville. Nous déménagions de Bethléem à Jérusalem où devait se concentrer le plus gros du travail chirurgical. Le courant était inversé : j'allais, les urgences mises à part, deux fois par semaine à Bethléem.

Que dire en quelques lignes de ces quinze années vécues à Jérusalem ? Tout m'y passionnait : mon travail à l'hôpital, les campagnes de fouilles, la vie grouillante de la vieille ville, celle des gens, l'histoire de cette terre.

De temps en temps, pour échapper à la présence devenue trop obsédante de l'hôpital, je partais vers quelque désert. Celui de Judée commençait au bout de notre jardin ; il suffisait de contourner le mont Scopus vers le nord, de traverser la ligne de crête de la chaîne judéenne près du village Isaouyia et de laisser le cheval bédouin, habitué à la caillasse et aux rochers, trouver son chemin vers le Ghôr. En hiver, l'oasis de Jéricho offrait un havre de douceur à qui descendait des hauteurs de Jérusalem, labourées par les vents froids. Les 1 200 mètres de dénivellation qu'on mettait vingt minutes à franchir en voiture faisaient qu'on débarquait dans un autre monde. Là, tout n'était que jardins et senteurs, bruit d'eau et poussière dorée. A la fontaine d'Elisée, aujourd'hui Ain es-Sultãn, au pied du site de l'antique Jéricho, je regardais la procession des femmes venant chercher l'eau : une danse rituelle se renouvelant chaque jour depuis neuf mille ans. Et tout autour veillait le désert. C'était lui, par ses grès, ses marnes, ses calcaires, qui donnait et donne encore, comme à Jérusalem, son toucher charnel à la lumière. J'aimais y aller aussi en plein été, vers la fin de l'après-midi, quand la fournaise intolérable du jour rendait ses dernières flammes, observer, du toit plat d'une maison en pisé, les lents progrès du crépuscule sur les flancs aux grands plis ronds, s'élargissant vers la base, des « montagnes au-delà ». Les derniers rayons horizontaux du soleil s'enfonçant derrière le mont de la Quarantaine s'effritaient doucement sur la table du plateau transjordânien. Au-delà encore, j'allais rejoindre les grands déserts de l'est qui vont d'une seule respiration jusqu'à l'Euphrate. Ou encore, en prenant les routes du sud à partir d'Amman, je descendais vers l'ancien royaume Edomite effacé par les Nabatéens, cette peuplade semi-nomade d'origine araméenne, complètement arabisée à l'époque romaine, enrichie par le commerce de la myrrhe et de l'encens achetés à l'Arabie heureuse, s'il faut en croire Diodore. Plus au sud, c'est le territoire de Qédar ou Cédar dont les tentes noires — comme le hâle de la bien-aimée — sont aujourd'hui dressées par la tribu des Cherārāt entre le ouadi Sirhān et le el Hedjer, actuellement Medaïn Calih. Il y a là une autre cité nabatéenne, moins connue que Pétra : façades et chambres sculptées dans le grès d'un cirque de montagnes émergeant des sables, lignes très pures confiées au silence et aux travaux du temps. Nous sommes déjà sur les rives orientales de la mer Rouge, en plein Hedjaz, à la limite nord du Nedjd. Qu'est devenu mon vieil ami Abou Salem qui m'a tant appris des secrets de la mer Rouge, quand, la felouque chargée d'une bonne provision d'eau et de riz, nous partions explorer par la mer ces rives bordées des montagnes nues de la Genèse, dont les granits, les porphyres, les calcaires et les laves composent des variations à l'infini, sur un thème sobre, fait de beiges, de bruns et de roux ? La plongée dans le monde des « coraux » est une fascination de tous les instants, aiguisée par la peur sourde qu'inspire l'humeur imprévisible des squales. Quelle débauche de couleurs et de formes, quelle puissance d'invention, quelle diversité dans le détail, quelle précision dans le dessin buissonneux de la colonie récifale ! Poissons anges, poissons demoiselles, poissons chirurgiens, poissons pierres, papillons impériaux, sergénts-majors, rascasses volantes, poissons perroquets brouteurs de corail, poissons clowns couchés entre les bras fatidiques des anémones, et vous, hirondelles de mer, d'un bleu si violent, qui tenez boutique de teinturier au coin d'une ruelle entre hydraires et acropores, je vous vois encore affairées sur le veston de votre client, flottant entre deux eaux, les nageoires écarquillées. Quel contraste avec la pauvreté, le dénuement tout autour, de la terre ! Pourtant cette nudité, cette usure des tissus nobles, des riches parenchymes me donnaient à percevoir mieux encore la pulsation tranquille de la vie. Dans ces étendues, bêtes et hommes que j'apprenais à connaître peu à peu trouvaient ce qui était essentiel. Bien souvent, à la nuit tombante, notre feu de camp attirait des visiteurs : des scorpions, mais aussi des bédouins. Je voulais connaître la vie de ces derniers, éleveurs de chameaux qui pratiquaient encore la transhumance saisonnière sur des centaines de kilomètres. En les approchant, j'ai pu mesurer le prix dont ils payaient leur liberté de mouvement, leur insoumission à une loi. Celles que leur imposait l'âpreté des conditions étaient, à mes yeux, plus dures que les lois de la cité. Dans le code non écrit de ces espaces, les règles de l'hospitalité, du refuge assuré avaient la même force que celles de la vengeance, que celles prescrites par les rigueurs du climat et la frugalité de leur économie. La fierté, l'honneur d'être les membres à part entière de ce pur royaume de l'étendue, étaient pour ceux que je fréquentais les sentiments nécessaires et suffisants à leur bonheur. Ces cœurs nobles, quand il s'agissait de défendre la réputation ou le patrimoine physique de la tribu, étaient des prédateurs sans vergogne à l'occasion.

Un jour, aux fouilles de Qoumrân j'ai rencontré l'un d'eux qui avait choisi la vie sédentaire. Petit, vif, intelligent, il était poète, conteur et excellent cuisinier. A la fin de la campagne il est venu me voir à Jérusalem et m'a dit tout de go : « Prenez-moi à votre service, vous ne le regretterez pas. » Il avait raison. Nous nous sommes séparés de lui treize ans plus tard en quittant Jérusalem ; nous avions le sentiment d'abandonner un membre de la famille ; il est mort quelques années plus tard, d'un cancer.

Il me faudrait l'espace d'un livre pour essayer de faire revivre tant de visages, essayer de rendre quelque chose des joies, des angoisses, des passions vécues avec tant d'intensité, la faim que je sentais en moi intarissable d'aller, de découvrir, de connaître. Mouvementées, elles le furent ces années et souvent jusqu'à l'explosion, remplies d'allégresse et de peines, révélant, mais quoi exactement, quels rapports, quels remous élémentaires des profondeurs, quel langage plus essentiel ?

Deux mois après notre emménagement à Jérusalem, l'annonce de l'adhésion prochaine de la Jordanie au pacte de Bagdad a levé une vague d'insurrection. Nous habitions, provisoirement, un appartement au premier étage d'un immeuble, dont le rez-de-chaussée était occupé par les bureaux de l'Unwra et le second étage par le consulat de Turquie, un des Etats membres du traité. Un matin, pendant que nous prenions avec une paisible bonne conscience notre petit déjeuner, l'immeuble a été pris d'assaut par la foule. Les pierres se mirent à pleuvoir de tous côtés ; nous eûmes juste le temps de barricader la solide porte d'entrée et de nous réfugier dans la salle de bains, seule pièce de l'appartement qui fût sans fenêtre, la lucarne d'aération ayant peu de chance d'admettre les pierres. Il s'est vite avéré que la lapidation ne suffirait pas à apaiser les passions des assaillants. Bientôt, ils enfoncèrent la porte d'entrée et envahirent l'appartement. Ayant déjà été le témoin de scènes de violence qui avaient coûté des vies, je ne donnais pas cher de la nôtre. Je m'arc-boutais désespérément contre la porte de la salle de bains, en bloquant la poignée, qui par chance était montée à l'envers. Heureusement pour nous, l'objectif premier était la razzia de l'appartement. Ce qui ne se pouvait emporter fut minutieusement détruit. Au bout d'une demi-heure, qui nous parut une éternité, en même temps que des cris de victoire qu'accompagnait une odeur de fumée inquiétante, nous entendîmes les rafales d'une mitraillette. Nous fûmes délivrés par l'armée bédouine ; les flammes de la bibliothèque allumée au pétrole commençaient à gagner le reste de l'appartement.

C'est un peu plus tard que, attirés par des rivages plus cléments, nous avons entrepris d'explorer en voyageant sur des caïques de pêche, l'Egée. Ces îles volcaniques étaient souvent aussi nues que nos déserts, et la vie de ces pêcheurs à peine moins rude que celle des nomades. Pourtant, comme tout me paraissait léger, aéré dans ces villages dressés si francs dans la lumière ! C'est en migrant ainsi d'île en île, nourris de notre pêche, qu'un jour nous avons trouvé refuge dans le port de Patmos.

Entre le rocher de Patmos et les pierres de Jérusalem, il

19

y avait un dénominateur commun : la lumière. Elle était sans doute plus tranchante entre les murs blancs, les rochers magmatiques des îles de l'Egée, plus dorée, plus proche du sang, plus sourdement impérieuse et corrosive en Judée, mais les deux renvoyaient à la même clarté de ferment qu'on voyait, aux deux crépuscules, monter dans les choses.

Ah, les matins de Jérusalem ! Il y avait une telle fraîcheur, une telle promesse dans la crue du jour, dans les pierres, que j'ai vite appris à me lever matin. Je me préparais un café, j'abreuvais le cheval et lui servais son premier repas, quand Khalil tardait, puis je me mettais à mes livres, à mes gribouillages. J'avais ainsi, chaque jour, deux ou trois heures transparentes, miraculeuses, avant d'entamer une longue journée à l'hôpital. Le peu que j'aie réussi à lire et à écrire, je le dois à ces matins de Jérusalem, à ces aubes de Judée qui commencent à poindre dès quatre heures en été.

Cependant au Proche-Orient la situation ne cessait de s'aggraver, les tensions d'augmenter. Depuis mon enfance, je connaissais ces abîmes infranchissables entre deux discours opposés par la passion d'un bien unique, entre deux récits exclusifs l'un de l'autre, mêlant des faits, des arguments indéniables aux inventions et aux utopies de l'imagination. Pendant la guerre des six jours, en 1967, l'hôpital français s'est retrouvé au milieu du champ de bataille. L'équipe chirurgicale n'a pas quitté la salle d'opération pendant plusieurs jours ; je nous vois encore dans ce scénario tragi-comique, lorsque, au milieu de la nuit, travaillant sous de mauvaises lampes de secours, suivant le sifflement des fusées pour nous cramponner à la table quand l'explosion trop proche nous enverrait son souffle à travers les stores démantelés, nous regardions avec stupeur disparaître à chaque détonation notre si gentille sœur instrumentiste sous le champ opératoire ; nous nous retenions avec peine de la suivre. Une semaine plus tard, quand je pus me faufiler jusqu'à mon domicile, à une centaine de mètres à peine de l'hôpital, j'ai trouvé la porte enfoncée et la maison pillée.

Deux ans plus tard, fatigué d'une vie devenue quotidien-
nement compliquée, j'acceptai la proposition qui me fut
faite d'un poste de chirurgien dans les hôpitaux de Tunis.
Je quittai ce pays, Jérusalem, la mort dans l'âme, cette
lumière était devenue un peu ma lumière, j'avais mûri
parmi ces pierres. Je ne regrettais pas une minute de ces
seize années : il était temps de transhumer. Je n'ai eu qu'à
me féliciter de cette décision.

Je termine la rédaction de ces pages, qui me laissent
dans le doute le plus grand quant à leur intérêt pour d'au-
tres que moi, devant une fenêtre ouverte sur un ciel maus-
sade. Rien, aujourd'hui, de ces couleurs d'une beauté som-
bre dont savent se vêtir en hiver ces deux étendues qu'unit
mon horizon. C'est la grisaille loqueteuse, inconnue des
affiches de tourisme. Pourtant, dans la pente raide, entre
cette maison qui menace ruine et les grandes pierres ocre-
roux du rivage, un amandier termine sa floraison. Mais il
me faut partir, on m'attend à l'hôpital.

Sidi Bou Saïd, 28 février 1982.

J'ai écrit ces lignes pour la publication dans Poésie/Gal-
limard de trois de mes textes : *Le quatrième état de la*
matière, Sol absolu, Corps corrosifs. On trouvera au début
du livre, en guise de réflexion sur la poésie, quelques
extraits d'*Approche de la parole*.

Le quatrième état de la matière a été si profondément
remanié qu'il s'agit en fait d'une nouvelle version. Dans
mon esprit, cette nouvelle version ne remplace pas la première, elle constitue, quinze ans après, un développement
différent, au niveau de la langue, de la même expérience.

En ce qui concerne *Sol absolu*, mis à part quelques
ajouts ou suppressions jugés nécessaires pour la cohérence
de l'ensemble, les modifications apportées n'altèrent en
rien le sens du texte primitif.

Approche de la parole

La langue de poésie ne se laisse enfermer en aucune catégorie, ne se peut résumer à aucune fonction ou formule. Ni instrument, ni ornement, elle scrute une parole qui charrie les âges et l'espace fuyant, fondatrice de pierre et d'histoire, lieu d'accueil de leur poussière. Elle se meut à même l'énergie qui fait les empires et les perd. Elle est cette arrière-cour délabrée, envahie d'herbes, les murs couverts de lichens, où s'attarde un instant la lumière du soir.

On ne justifie pas la poésie et elle se passe de défenseurs ; j'essaie seulement de voir ce qui en moi instruit par la précision, va d'une façon si inaltérable vers le tâtonnement nocturne, à la recherche d'une autre, d'une plus rocheuse précision. Comprendre et ne pas comprendre, buter, briser, se perdre, comprendre encore. Je veux assumer toutes les contradictions, les excéder. Car tout en moi sait que je parle toujours la même langue (celle *qui me « parle », me fait* en parlant, en s'exprimant) à des niveaux différents. Et il ne s'agit pas de degrés d'élévation plus ou moins parfaits, plus ou moins évolués ; ce qui les désigne c'est un mouvement, une organisation propres, un rapport à l'humain et au monde. L'abrupt d'une évidence sans nom et les patients travaux d'approche d'un fragment.

Je ne vois pas d'interruption entre le langage (ou l'ex-

25

pression) qu'est la matière diversement animée, le discours de l'homme et celui de la société. Niveaux d'émergence, de composition, de vitalité et d'assèchement, de maladie peut-être, d'une même parole qui se manifeste en signes discontinus, pris dans le jeu d'une formidable combinatoire, jeu dont elle est en même temps la matière, les règles et l'énergie, le texte, la syntaxe et l'écriture.

Ce que cherche ma parole sans cesse interrompue, sans cesse insuffisante, inadéquate, hors d'haleine, n'est pas la pertinence d'une démonstration, d'une loi, mais la dénudation d'une lueur imprenable, transfixiante, d'une fluidité tour à tour bénéfique et ravageante. *Une respiration.*

Classer, isoler, fixer ; ces exercices menés à leur somnolente utilité, nous voici mûrs pour l'insomnie de la genèse.

Tous ces chemins que j'emprunte débouchent sur quelque impossible où seul l'exercice vertical de la parole maintient le mouvement : menace, bonheur et perte. Et nulle part de terme qui résoudrait, qui rassurerait. Rien que ce mal étroit, rien que ce large qui excède. On ne peut clôturer la poésie : son lieu central s'effondre en lui-même, en une compacité qui se consume, qui se troue. Silence infondé où, contre toute preuve, s'avance encore une fois la parole fragile, la parole scandaleuse, la parole écrasante, la parole inutile.

Le poème n'est pas une réponse à une interrogation de l'homme ou du monde. Il ne fait que creuser, aggraver le questionnement. Le moment le plus exigeant de la poésie est peut-être celui où le mouvement de la question est tel — par sa radicalité, sa nudité, sa progression irréfragable — qu'aucune réponse n'est attendue ; plutôt, toutes révèlent leur silence. La brèche ouverte par ce geste efface les·formulations. Les valeurs séparées, dûment cataloguées, qui créent le va-et-vient entre rives opposées sont, pour un instant de lucidité, prises dans l'élan du fleuve. De cette parole qui renvoie à ce qui brûle, la bouche perdue à jamais.

Nos sens et notre pensée s'encombrent sans cesse de reflets, perdent cette fluidité vivace que nous appelons âme parfois. Mais quelqu'un s'arrête près d'un mur de boue délabré, près d'une pierre où manquent les mots. Il palpe le grain d'une lumière sécrétée, écrue. Il touche à un grésillement poreux, à l'étoffe rêche de la voix. Parcourant les strates, il œuvre à même le mouvement et le souffle de la langue. Architecte du code, il modèle la matière des signes à leur naissance. Reprenant sans cesse les veines d'un ordre à leur bouche d'énergie, il les conduit à un sens qui se perd. Ce chercheur inassouvi, cet éternel inadéquat, ce contempteur d'impossible est avant tout un ouvrier de la langue, un ouvrier qui désespère et qui rit. Allant aux fibres du tissage, aux sources de la chimie, il veut d'abord essuyer tendrement la buée, *buée des buées,* regarder par cette trouée maladroite la lente migration du paysage.

La poésie est capable de conduire parfois (à l'instar des métaux bons conducteurs) un tressaillement de la parole en communiquant aux mots sa fluidité, son pouvoir corrodant sans mémoire. Ainsi le mot — l'image —, de simple élément chimique qui participe à la constitution d'un corps composé (un sème), se transforme en un enzyme pouvant opérer la synthèse ou la lyse, la création inattendue de composés nouveaux, qui lèvent, en ce qui les brûle, des flammes différentes.

Ce lieu de haute énergie, où s'ordonnent des mots, que nous appelons poésie est notre part de l'acte infini dans le monde, champ de force des lois de notre mouvement propre, où se composent et se défont nos constellations.

Voici une molécule qui provoque la saturation nécessaire à la formation d'un cristal, un enzyme qui déclenche telle construction, ou « reconnaît » des éléments qui sans lui n'avaient pas de signification, du moins pas la même.

Et voici cette brèche ouverte par un son, un rapport de mots, une liaison d'images, qui permet de voir là où on ne faisait que regarder. De respirer là où on ne faisait que discourir.

Celui qui est capable de mettre en œuvre les lueurs qui peuvent naître de telles articulations ou de telles défaites dans les constellations de la parole, qui sait les forger, les provoquer, celui-là, comment ne le reconnaîtrions-nous pas ? En l'écoutant, une fois peut-être, sans frontière nous entendrons.

S'articuler, s'intégrer, se fondre, en tenant ferme le fil de ce mouvement singulier. L'onde pleine du tissage enveloppe les rêves inquiets des rochers, la frayeur des fonds. Capillaires d'une fraîcheur de naissance oubliée ; légèreté du sol sous le pas inespéré d'une guérison. Vastes steppes et leurs hautes herbes amples qui bercent le glissement des fauves, sang et espace d'une même mélodie ; amants qui savez presque sans traces aller.

Ne cherche pas l'absolu. Il est en toi comme un ravin de sécheresse qui te perdra. Toute parole qui retourne la terre porte sa soif. Amour et doute. Herbe amère et fruit, le pouls accordé et défait.

Le texte poétique est le texte de la vie, travaillé par le rythme des éléments, construit, érodé par tout ce qui est ; fragmentaire, plein de lacunes, laissant apparaître dans les failles des signes plus anciens. Trame d'ardeur et de circulation : chacun peut y lire *autre chose* et aussi la *même chose*.

Ce que nous appelons pompeusement activité créatrice n'est au fond qu'une faculté de combinaison, de constitution d'ensembles nouveaux à partir d'éléments existants. Ce qui par moments réellement se révèle, c'est une qualité, une saveur, une cohérence et un effritement propres à ce composé nouveau. Mais peut-on, pour étancher cette soif de composer des corps nouveaux, assembler n'importe quoi à n'importe quoi ? Il y a de tout dans la nature. Les uns tirent leur bonheur (ou leur « vérité ») des bizarreries du rêve, des chimères de l'imagination, d'autres sont à jamais fascinés par la vie qui bouge, respire et fait commerce (mais c'est elle qui produit aussi les rêves et les chimères), se déploie ici, là se désagrège. D'autres encore cherchent à nommer, à montrer par ces mots qui sont matière si friable, ce qui depuis toujours invente le mouvement.

Le paradoxe central, la clef absente d'une certaine poésie d'aujourd'hui est qu'elle tente de faire effraction dans un domaine où la logique de la langue tourne court. La physique moderne a dû admettre une semblable faillite du langage conceptuel ordinaire lorsqu'il s'agissait de dire, par exemple, comment un atome s'y prenait pour émettre ou absorber de la lumière.

Il se peut que l'eau claire d'une langue entre les mots d'un poème nous renvoie aux origines de toute langue et de tout langage, domaine augural qui nous requiert comme un malaise inexpliqué.

Il y a une veine d'énergie qui est langue, qui chemine continue depuis les dispersions cosmiques et plissements géologiques aux tissages de la vie, aux mouvements les plus abrupts de l'imagination et du chant. Lorsque la voix s'y découvre, mouvement inséparable, c'est comme si elle reconnaissait un visage, une modulation, un rapport fondamental proposés par le monde ; comme si notre langue charriait toutes nos architectures de pierres et de vents, soudain du présent plongeait aux âges sans mémoire, reconnaissait son acte inconnu. Se reconnaissait.

Au seuil de ce jour indécis : le poète avec son maigre paquet. Mis à nu en ce désert. Et nu à crier et désert à en perdre le sens. Qui l'entendra dans l'atelier des poussières inusables ? Ici même, dans l'affairement louable, qui percevra son creusement silencieux ? Quelle place escompter, avides que nous sommes d'éclairages au-dehors, pour une lampe qui seulement respire ? Cet homme n'a rien à proposer qui transmue l'excrément en or, qui transfigure la misère du dehors en monnaie de salut. Rien. Quelques mots en une rude langue étrangère qu'il entend comme une langue natale.

Mais quel poète a jamais douté que la parole fût fleuve dans le fleuve et souffle dans le souffle ?
Pousser la démarche poétique en ses derniers retranchements, la précipiter par-dessus le dernier mur de mots qui rompent la foulée de l'annonciateur. Là où le discours, trop timidement, se penche sur un abîme de parole.

Ecrire un poème qui ne serait pas un relevé de traces, traduction ou mise en forme, décruage des différentes couches du vécu, de ses arborisations prodigieusement entremêlées — écriture d'une lecture à un autre niveau —, mais croissance et mouvement simples, issus de nul centre et de nul commencement, ses branches, ses feuilles, ses fruits n'étant pas là pour renvoyer à autre chose, pour symboliser, mais pour conduire la sève et la vivacité de l'air, être leur bourdonnement et leur activité, nourriture et ensemencement. Et la lecture ne serait plus déchiffrement d'un code, réception d'un message ; il ne s'agirait plus de lire de son poste d'observation prudemment extérieur, mais de se couler dans le cheminement imprévisible qui est, d'un même geste, le mouvement et ses lois, la différence et l'identité, la forme qui se construit et se défait. Lire et écrire : accueillir, aller avec, creuser, respirer, jaillir.

Le quatrième état de la matière

CONNAISSANCE DE LA LUMIÈRE

Nos rivières ont pris feu !
Un oiseau parfois lisse la lumière —
ici il fait tard.
Nous irons par l'autre bout des choses
explorer la face claire de la nuit —

je connais des matins fous d'étendue
de désert et de mer —
mouvoir qui refond les visages
remploie ses traces.
Monastère de vie de flamme pulmonaire
dans l'épaisseur fumante de midi —
nous enseignons aux algues, aux poissons
la couleur de l'air et l'histoire de l'homme
pour les faire rire au soir dans l'encre opaque
des poulpes effrayés

ce matin qui vient se poser si frais dans tes yeux
tout pleins encore de fragiles porcelaines
le jour poreux
son long baiser de laine
tout ce corps resté pour nuit quelque part.

La lumière joue dans des corps étroits d'oiseaux
de brefs mouvements d'air où les sons se plissent et
découvrent la peau   les yeux des femmes

des hommes lourds de trépas, de sommeil,
la nuit voûtée dans le dos regardent
ces mailles sur l'eau qu'un rien déchire
et là-bas sans doute des vitres en feu —

blanches parois d'oiseaux reposés
fossiles au hasard dans les couches du jour
eaux peintes de nos passages
les fonds tremblent encore —

balancements d'ailes
gouffres rapides sous la peau
on se penche sur des plages fumantes
les joues brûlées

nappes tendres d'acier gris
nos mains émondées sur les pentes
de cette lumière —
et nos doigts rient
de roues immenses légères
dans la maison plus intérieure de la vie
où quelqu'un vient
acier
silence
replis.

Les sons bullent dans les dalles de lumière.
Tu t'es fait nuit blanche dans le blanc
qui perce le tulle de nos bruits.
Surfaces distances dévotions
les jours s'effritent dans l'arène
et le regard
et la danse —

Je t'ai bâti de crissements et de cris
exhumé puis lentement
de nouveau enseveli.

Lenteur aveuglante
du minéral à la mer
de longs voyages troués dans le temps
se retrouver dans une plante, un cilié
la fraîcheur de ses nuits
toutes portes où l'on se trouve et s'abandonne.

Comme les regards étonnés
d'être morts
comme s'arrachent
les oiseaux ivres leurs plumes
nos gestes étaient trop clairs
pour ne pas surprendre
leur pesant d'ombre.

Si loin que le sourire ne sait les paupières.
Tiré des cris longs d'oiseaux en vol
la lettre fluide des choses sans mémoire
le jour brûlé il arrive qu'on oublie les paroles.

Là-bas au bout du monde
là-bas les soleils
la bouche enflée de nuits
là-bas les horizons
la soie sauvage du désir

mondé grave
où rien n'est insulté ni laid
le couteau tombe
le jour marche sur les plafonds
dans ses entrailles cuivrées.

Le port est repeint de noir
il y a deux ou trois bateaux très blancs
où manque la nuit —
fenêtres où rêvent
des îles enfouies dans les yeux.

O tant de nuit mangée à blanc
nous avions aussi un destin de fenêtre
où quelqu'un a crié de joie —
le silence le port au soir
deux ou trois bateaux très blancs
où manque la nuit —

je voulais qu'on m'aime —
mendiant exact aux fêtes de lumière
usé de gris et de blasphèmes.
Il me reste de cette chair les arêtes
de tant d'élancements —

maintenant le jour
            les yeux nus
                    et quelqu'un
a repeint mon plafond de choses
et déjà je n'y vois plus —

il pleut dans le soleil
les arbres et les maisons sont plus graves
par la terre plus lourde je sais où tu es
quand se vident les yeux
et l'on voit l'espace à travers.

ICONOSTASE

Lumière de loin.

Je voudrais t'insuffler la fraîcheur
    capillaire par capillaire
que t'enfantent le glissement de l'air
    et le resserrement
des papilles   te faire des mots verts
    au matin des mots
que tu aies envie de toucher de broyer
t'écrire avec les ongles dans l'âge paresseux
    des roches
dans les yeux —
te convaincre de la terre.

La mer
le soir
les corps
parois intérieures du toucher
cueillir au ventre crépi d'oiseaux
le ressac déroulé et le même point bref
goût d'amandes vertes
et tabac amer.

Lèvres blessées de brûlures plus longues que le jour —
ce picotement et ce fin bruit
de mailles claquées dans l'air vertical.
Herbes à peine
et l'œil patient de poissons voraces
dans la boue sombre des fonds.

Clairière de forces au soir sans arbres
la sévérité du continu.
Seulement la marche, ces camps fugitifs
d'une image à même la pierre.
La chute de l'ange dans le feu
la flamme à l'orée des corps
celle de mes doigts dans la rigueur des failles
grande feuille du jour
fossile de nuit.

Ces métaux que je courbe dans ma voix
pour que tu existes dans le noir.
J'ai vidé la nuit de sa brillante pacotille
et j'entends la foulée qui ouvre encore
tout un poumon dans les pierres —

Il arrivait qu'on posât un visage
aux confins de nos marches
pour l'endormir.
Dors sous la peau encore tiède
dors sous la voûte des oiseaux sans toit
tout le long des corps
à joindre à désunir
nous avions des mouvements de mer
et rompus de soif.

Ayant perdu brusquement nos ancêtres
leur crâne qu'on porte et où l'on s'endort
les os fumants autour des visages
dans l'odeur vieillie d'encens et de pain
sous la chaux brûlante des cellules monacales
nos mains défaisaient le noir et les mots
rendus à la seule clarté du corps.

Lumière de doigts à l'approche des visages
connais-tu la forêt Khmer ?
Je ne voyais pas les arbres
resserrement au cœur de la pierre
d'une profondeur de plus.
Migration de meubles de murs et de steppes
puis l'insupportable précision
d'arrêts de places de maisons.

Oratoire dans la pierre lentement refroidie.
Dans le blanc de nos yeux la chambre noire
de toute sa chimie mordant les visages
si long fut le jour
de vents crayeux et d'ossements
la nuit tant de fois rompue
de gestes brefs qui se décolorent —

L'extrême patience qui nous lime.
Le pain d'un jour et l'eau mesurée
la démesure de nous taire
et parmi tant de blanc
trouver à tâtons
les chemins étroits de nos veines.

Voici des mains
pose-les dans une brève secousse de ton corps
avec un pot de basilic
et l'espace fouillé d'oiseaux
quand l'aube sur nos corps mouillés
les doigts sentent l'origan.

J'ai seulement des choses très simples
le soleil s'est découpé peu à peu comme
ma mère découpait le pain
nous mettons la soupe sur la table
(ces choses au-dehors qui tombent lentement,
le jasmin, la neige, l'enfance)
goût de piments rouges et de dents heureuses
nos corps nous tiennent encore chaud quelque temps
dans l'âge avancé de la nuit.

Quels étranges paysages fait ta voix
brodée dans les chambres je ne sais plus
quelles chambres j'y promène des théières
et des branches d'arbres déshabillées
le thé fume ou peut-être le jardin
peut-être aussi le fond des icônes
la légèreté des choses perçue à l'oreille
la peau se plisse par endroits
la porcelaine de la tasse se refroidit
on attend
les fenêtres deviennent couleur aubergine
puis referment la nuit

le large est entré dans la chambre nocturne
où un geste ou deux ont aimé la lumière —
les corps se dressent dans la clarté invisible
des hanches nues et des syllabes d'eau
longues et brèves des bouches qui se penchent
bruit de verre échoué sur les fonds —

mais comment dire l'amour
le désastre et le commencement
le temps courbé sous la veille infinie
et les débris de plâtre
incrustés sous la peau —

le soir encore ce clair de pierres
une vie qui monte de nulle part à jamais
forêt de mains et tâtonnements dans l'enclos
nous entrons en nuit vêtus de nos os —

ÉCAILLES

Mort où tant de vie s'égare
de nos faibles yeux abandonnée.
Torrent tu nous étonnes
étincelant et boueux
de bouche en bouche
le doux et l'amer
cailloux et bois
achevés repris.
Ces photos floues
que le temps a bougées.
La lumière se cherche sur nos mains
et soudain tout est plume
neige neige —

Sol absolu.   3.

Le même vent traîné dans le feu
la même nuit avec la même texture de branches
d'un bonheur inavoué.
La même croissance dans les gestes
et l'effeuillement des mains sur la peau
trouées soudaines dans les formes
quand l'espace nous entend —

Nous avons vécu tout juste
le temps de ce poids
de tout ce qui sans plainte se déchire
ta vue hier soir
et ces tout petits ports des yeux
les paupières repeintes.

Depuis des ans nous n'avons plus commerce
qu'avec les pierres.
Nos pas s'allument aux craies aveugles
gisement étroit entre deux points d'eau.
Ma vie brûlée de tant de lumières
parfois d'une immense tendresse j'oublie
que tout est sourd
et me lève comme une mélodie.

Je t'écoute
son qui creuse les matins
les corps très minces
dansent sur les couteaux
découpés dans la trame
d'une résurrection —

Nos vies mûries au plus chaud de nos membres
toutes nos demeures en marche désormais
l'épaisseur obtuse de nos murs
de grève en grève et de mer en mer
poreuse et frêle dans la main
et partout ces écailles
où le jour frissonne et se décompose.

Je dis maintenant que tout est lisse et consterné
je dis par les monts chauves de la mémoire
dans les plis d'un grand rideau d'écumes
quand s'ouvrent les fenêtres de mer
que s'ajuste le ciel face à l'ombre
et lisibles les rames du passant —

Jusqu'où m'étendrai-je à te veiller ?
Tu m'apprends à marcher quand la route se tait —
N'oublie pas ce blanc du bois des fenêtres le soir.

La nuit circule le long de ses vastes réseaux
tes pupilles se dilatent à vitesse constante
et ne craquent jamais —
tu n'arriveras jamais
au fond de cette nuit

détail tremblant obstiné fiévreux
je lis ta rigueur dans l'ombre des fonds
tout est si lisse si net si reposé
aucun désordre ni colère
dans la neige pure des lois
les bêtes à griffes et à dents
luttent en silence
entre peau et lumière —

toute cette grandeur d'air
s'engouffre dans les gestes
tout ce qui n'est pas encore
vient si près dans la paille
de tant d'univers éteints —

je connais tes pas qui s'usent dans mes veines
je connais ton pas comme les mots que je fais
comme ce qui troue mon silence
et se défait.
Tu verses des nuits dans mes membres
et me laisses
quand le jour se heurte à mes lampes
te refaire de rien.

LE JARDIN DE PIERRES

Nous vivions dans la fraîcheur d'aller
porteurs d'images au jardin de pierres
le vaste empire répandu, éventé.
Ce qui reste au large d'années
souffles bleus, violences calcaires
énorme pays de vies muettes
craquements verts dans les doigts de craie
peu à peu nous apprîmes à écouter
quelque part la chute du jasmin —

toutes ces nuits dans les pierres
tu dors les yeux les poumons trempés
de bruits d'un vent à jamais.
La crue limpide d'une fugue des corps
adossée aux heures qui harcèlent le lit
du campement hâtif dans la lumière —

taire les noms avec assez de joie
pour que les lignes de force
se montrent dans les blancs.
Vois si tu peux sentir l'artère
de tant de pesanteur —

Il y eut des nuits d'acier froissable
serties de gestes courbés dans le feu
poids des sables et peines oubliées.
Lucarne patiente dans l'épaisseur de l'ombre
à chaque aube dans le granit du cœur
tu rapprends à bouger la lumière —

Ce bruit de mots
que tu es venu sécher
sur ces pistes où le vent
se prépare avec les soins la minutie
d'un entomologiste penché sur les coléoptères —

ce que j'aimais par-dessus tout
clarté d'herbes du bonheur fragile
c'était en somme l'invention de la tige
poussée téméraire, vulnérable
occupée seulement à croître.

Que dans une très douce syllabe
je puisse diluer toute violence et tout or
ce pur froment de moi-même tu.
L'effritement est à mes doigts —

Je te sens comme une flexion dans ma voix
où les poudres du soir viennent se poser.
La traversée sera longue disait l'ange
dans l'épaisseur de la pierre

qu'il ne reste plus que l'œil indivis de nos poids.
Nous revenions toujours plus lourds à la terre
troués d'espace cloués de lumière
les mains apaisées dans la chute —

tes bras tombent
en forêt basse violacée
tes yeux tombent
et les écailles de la voix
et je m'écoute mille siècles plus loin
recomposé son après son.

Je tiens ma vie
un morceau de pain
très fort les cent grammes
du prisonnier de guerre
et souvent j'ai si faim
qu'à peine il en reste
et les choses se colorent
de peurs merveilleuses —

Nuit encore.
Rafale de fenêtres dans les corps
abrupts et muets.
La flamme peinte du jour volubile
ses fards posés sur l'icône de chair
et chaque degré du soir à comprendre
la mémoire périmée jusqu'où nous dilaterons-nous ?

Cette plénitude presque et la déchirure des phares
les eaux du dedans se cognent aux vitres
immobile j'écoute m'écouter quelque part
une faim intarissable de naître —

Sol absolu

Au chant nu des montagnes de Ju-dée qui se fit entendre à ma soif sur les pistes d'Arabie Pétrée, déserte et heureuse.

SILENCE

PIERRE   PIERRE

encore une

PIERRE

sable

illimité

RIEN

Autels
stèles
dolmens
cromlechs
cistes

(gros blocs de pierre qui recouvrent de leurs
masses cubiques d'anciennes sépultures)

ou simple M o n c e a u d e p i e r r e s en témoignage

d'un accord
d'un accident
d'un crime
d'un mort

SUPPLICE de la LAPIDATION

fermeture d'un puits
d'une bouche de citerne
mur de pierre
tour de vigne

tombeaux roses de Pétra.

Mages
Caravaniers
Bandits
Trafiquants
Onagres d'hommes

SUR LES ROUTES BRÛLANTES

la myrrhe
l'encens
l'or
les perles et les pierres

SUR LA ROUTE EN VUE DE RIEN

l'illuminé   le clairvoyant   l'aveugle

« Mes frères ont été trompeurs comme un torrent
comme le lit des oueds saisonniers
dont s'enfle le flot à la fonte des neiges
et se tarit si vite au soleil brûlant.
Pour eux les caravanes quittent leur piste
s'enfoncent dans le désert et s'égarent — »

PÉNINSULE ARABIQUE

HEDJAZ

granits
  porphyres
    calcaires
      pitons volcaniques
        rivières de lave

HARRA

amas   de   soufre
    minerais de fer
      cuivre
       argent
        parole

HAMD

Tebūk
  Teima
    el Hedjer
      el - Ela
       Médine
        La Mecque

HIJRA

de la grande Harran de Haibar à Djebel el Kora

    la familiarité du vide
    sous les noms disséminés

96

ÉROSION

     travaux de même ardeur que
     la cohérence de la matière
     la langue aux rythmes innombrables
     déployée   effritée   recomposée

CHIMIE

     des   vents
     des   eaux
     des   rêves
     des   lumières

les mêmes mouvements composent et élucident
l'ampleur de la course sans dessein

plus d'une fois à l'aube
>> dans le désert de Ram et de Toubeig
>> ou plus au sud sur les rives
>> orientales de la mer Rouge là où les
>> granits roses veinés de lave, grès tendres
>> et gypses aveuglants ralentissent leurs pentes

j'ai rêvé d'une genèse
>> l'univers naissait sans s'interrompre
>> non pas d'un ordre venu du dehors
>> mais ample mais plein de sa musique
>> d'être là caillou compact à l'infini
>> rempli par la danse dont vibre chaque son
>> foré dans la lumière —

fugue de courbures en clair et ombre
>> sans départ ni achèvement

jaillie du jaillissement
>> de la même marche indivisée
>> le souffle à deux battants
>> sur les pistes pulmonaires

la force de silence
>> dont ces déserts à l'aube
>> sont la feuille dépliée
>> la fraîcheur crissante — ébruitée —

>> ou encore
>> sur la rotonde crayeuse
>> des dernières arènes du jour

la vitesse de la lumière
>> soudain pénétrée par la lenteur d'une caresse
>> la rumeur des mains sous la peau profonde

comme une eau des yeux
>> qui rend flous les visages —

Bonjour à toi qui viens de nuit.
Bonjour à toi démarche souveraine qui fends la pulpe du
   soleil.
Bonjour à toi dans la poussière.
            Tout ce jour à t'user, à l'user.
            Aux os de ta fatigue.
            Lorsque la lumière se voûte sur un puits —
            Paix, les bruits se posent.
            Ah, comme l'oreille se lisse !
Bonne nuit à toi qui viens de lumière, qui viens silence.
Comme une ultime paupière de couleur ou de son
Tu migres en profondeur, laissant le jour blafard sur la
   table de l'embaumeur.

désert

    ce qui reste de musique
    quand le dess(e)in n'est plus visible
    comme si la lumière avait érodé
    le temps et le lieu qui sont aux choses
    comme si la grammaire des fonds était lisible
    à la main qui s'éclaire sur les regs

anachorètes

    lézards

        serpents

            hyènes et cynhyènes

    par les gorges du matin
    sur les pentes du soir

les routes non tracées du mouvement solidaire

    l'oryx sauvage
    la gazelle d'Arabie

le vent sur les plaines du Sam au sud de l'Euphrate

    plantes à soude
    arbustes rabougris
    plateaux gréseux
    psammites taillées à pic
    thalwegs de ruissellement
    fonds de mer éocène

la   même   nudité   de   la   vie

        une seule

r   e   s   p   i   r   a   t   i   o   n

Allongé entre le faîte de la chaîne judéenne et la dépres-
sion du Ghôr, le désert de Juda expose ses pentes ondulées
à l'orient, telle une houle figée de l'immense mer carboni-
fère.

Cette orientation le met à l'abri des vents humides de
l'ouest et l'expose au souffle embrasé des vents d'est.

Les rares rafales de l'hiver s'engouffrent en des lits de
torrents profondément sculptés dans le manteau de roche
dure. Les eaux de ruissellement s'infiltrent dans les porosi-
tés du calcaire sénonien à strates mal jointoyées. Ces eaux
souterraines irriguent les oasis blotties sous les parois
abruptes du Ghôr.

Pourtant au sortir d'un hiver même parcimonieux on
peut voir les croupes d'une nudité aveuglante se couvrir
d'un vert timide, clairsemé qui parfume le regard. « Que se
réjouissent désert et terre aride,... qu'elle exulte et crie de
joie. »

Bientôt les premiers vents Ḥamsīn se chargent de brûler
le tendre duvet des flancs. Puis l'été reconduit les paysages
à leur source absolue. Destin exemplaire entre l'éclatante
blancheur des craies et la réverbération des bruns sur-
chauffés des rivières de silex. La roche pulvérisée poussée
par le vent d'est élève sa cataracte de boue dans l'arrogan-
ce du bleu.

S'approchant du faîte on rencontre le midbār biblique,
région semi-désertique, zone de transition où les nomades
font paître leurs maigres troupeaux, où les fellahines pous-
sent leur charrue de bois parmi la rocaille qui abrite le
cyclamen sauvage. Arrivé au bout de son « champ », le
paysan regarde un instant, entre les pattes de sa mule,
l'auge bleue de la mer Morte, à peine plus grande que cet
épervier suspendu au-dessus de la faille.

LE SILEX DU LEVER DU JOUR
ALLUME   LES   MONTAGNES
DANS LEURS RACINES

NOUS FOUILLERONS LES PIERRES CLAIRES
JUSQU'À L'EXTRÊME LIMITE
DE L'OBSCUR

Je viens du fond déclos de cette marche inavouée :
Judée de mes ténèbres, comme tu danses sous le haut jour !
Le soleil brisé tes pierres m'avouèrent
leurs profondeurs d'arbres jamais nés
les verts sans feuillage dans l'épaisseur des vents
sans route et sans rose —
et la source vide sous la pierre funéraire,
si vive qu'en est poreux le marbre,
que les pigments de lumière émigrent
dans les seins lourds de la nuit.

comme une sombre et chaude origine dispersée
déserts de poème dans la lumière du soir
mettant à nu dans l'œil la durée

silex à fines veines de quartz
silex nodulaire dont la silice
est contractée en un bloc el-
lipsoïde enserrant un organisme fossile, un débris d'argile ou de craie. Parfois, la
silicification du noyau étant
incomplète, la cavité restante
se remplit d'eau d'infiltra-
tion, produisant des cristaux
de calcite ou de quartz.

« Cipporta prit alors un silex, coupa le prépuce de son
fils et en toucha le sexe de
Moïse en disant : Vrai ! tu es
pour moi un époux de
sang ! »

SILEX DE L'EMBAUMEUR

parfum de nos chemins dans la nuit
ah, le jardin pourri de nos entrailles !

Chaque matin d'un bond
le soleil prend pied dans mon visage.
Je m'empare de cette brûlure comme d'un gouvernail.

Les grains de sable

travaillés travaillant sans répit
dans l'atelier des millénaires

enfin, merveilleusement légers et polis
corps cristallins proches de la perfection
plus durs que l'acier   dans la guerre
de tous contre tous   indéfiniment
ils rebondissent sans jamais s'user

Ces grands déserts de sable
nous offrent un sol meuble
presque entièrement cristallin
d'où sont absents limons et
argiles si indispensables pour
le développement organique.
Pourtant, les recherches mi-
crobiologiques démontrent la
permanence d'une microflore
dans les sables les plus rigou-
reux.

Ciel compact inentamable.
La terre est prise dans les tables dures de sa loi
qui renvoie le regard
infiniment derrière sa source
à l'ossature liquide de son chant.

SABLES ÉOLIENS DE GRÈS DE NUBIE

hautes vagues rousses
des dunes de Dahna
maelströms neigeux
de la mer de Ṣāfi
sables rouges du Nefūd

l'horizon coule à la vitesse d'un fleuve

tranchant vif taillant les images
les jours roulent des éclats polis
des globules translucides de silices
sur la ligne d'eau du cristallin
roulent leur paisible incendie
désherbant le regard le souvenir

Notre urgence de voir dans l'ardeur immobile
a dépensé ses crédits de carrière, son écume d'horizons
Pour garder une grève à l'absolu paysage
où puisse se briser le cœur
il a fallu encore et encore déshabiller.
Se lèvent du vide des oiseaux de proie
l'œil pur dans la mêlée confuse
plus prompts que les bonds de ton sang.
Où vas-tu jurant entre les ânes rétifs
que tu proclamas lumière ?

Pline le naturaliste raconte que des marchands de nitre ayant relâché dans une région sablonneuse : « ne trouvant pas de pierres pour exhausser leurs marmites, employèrent à cet effet des pains de nitre de leurs cargaisons. Ce nitre soumis à l'action du feu avec le sable répandu sur le sol, ils virent couler des ruisseaux transparents d'une liqueur inconnue... »

Tu coules avec le jour
levant ces pailles du sol dur.
Odeur de feu dans le sillage
et d'air ce corps dissous à l'encontre
du poids brut de l'univers.

Jadis ce souffle, ce mot
ce geste à l'orée de son propre mouvement
germa d'une pareille douceur
de solitude brisée.

« marbre à Rudistes »
« marbre à Nérinées »

Pierres du Temple

> « le roi ordonna d'extraire de grandes pierres, des pierres de prix, pour poser en pierres de taille les fondations de la Maison — »

Pierres équarries

> dont Jonathas fortifia plus tard le mont Sion —

ces pierres admirables, longues de vingt coudées, larges de dix et épaisses de cinq

> que les architectes d'Hérode employèrent, aux dires de Josèphe, pour édifier son palais, ses tours —

Et le calcaire doux dit Ka'kuli

> sonore sous le choc du marteau, il se couvre de *lèpre* parfois. « Lorsque vous serez arrivés au pays de Canaan, que je vous donne pour domaine, si je frappe de la lèpre une maison du pays que vous posséderez, son propriétaire viendra avertir le prêtre et dira : j'ai vu comme de la lèpre dans la maison. »

112

Si malgré le crépi la lèpre
persiste, la maison sera dé-
molie, ses pierres, ses char-
pentes et son crépi seront
portés en un lieu impur. En
vue d'un sacrifice expiatoire
le prêtre prendra

> deux oiseaux
> du bois de cèdre
> du rouge de cochenille et
> de l'hysope

il immolera l'un des oiseaux
sur un pot d'argile au-dessus
d'eaux vives. Puis il prendra

> le bois de cèdre
> l'hysope
> le rouge de cochenille et
> l'oiseau vivant

pour les plonger dans le sang
de

> l'oiseau immolé
> et dans les eaux vives —

Après avoir fait le sacrifice
expiatoire de la maison
avec

> le sang de l'oiseau
> l'eau vive
> l'oiseau vivant
> le bois de cèdre
> l'hysope et
> le rouge de cochenille

sept fois il aspergera la maison puis ira lâcher

> l'oiseau vivant

hors de la ville —

𒀸 𒂊 𒈫

מִדְבָּר

𒀀 𒐈 𒐈 𒅆

𒐊

الصحرا

Nous vivions parmi les ronces en bordure de nos terres
dans les vitres fendues de l'orage d'été
blessés à bleu par des éclats de mer
jusqu'au fond infondé des nuits qu'on prononce
soudain sous les doigts qui suivent l'érosion
et derrière la chair qui se presse dans la voix
le sang translucide à force de s'ouvrir
au bout de ses tiges digitales brisées —

Ainsi découvris-tu le feu.
Au fond de tes pulpes humides prolongeant tes pistes
sans espoir de trace plus loin que ta fatigue.
Tu en fis ce trou dans la splendeur du visible.
L'arbre calciné de l'espace sans feuilles déplia ses astres.

Les paysages de ta vue émigrés si haut dans l'hiver
tes mains sont plus tendres maintenant
de cette chaude ignorance de la terre refermée.
Ah, comme elles connaissent la voix sourde
qui s'enfle et s'évapore dans les nuées de poussière
lorsqu'elle tombe dans l'oreille parfumée du témoin.

terres inhospitalières

un jour, après tant d'années à ne pas attendre
telle une promulgation divine   un nuage
trop lourd à passer se rompt : c'est le déluge

    Dans la boue humide

        comme il y a des milliards d'années

    dans ce premier jardin

        des protozoaires sortent de leurs coques
        les insectes de leurs cocons et chrysalides
        les graines se gonflent jusqu'à ce
        que se brise le sommeil

    dans une craquelure d'argile

        l'âme timide d'une pousse verte

    salue la lumière

        que les collines se ceignent d'allégresse
        et les fleurs

    quelle témérité

        quelle confiance en soi de la vie
        quel mépris de ce qui n'est
        pas la chair intime du mouvement

    tendre écaille de lumière finie

        baisant la rigueur du sol
qui ne t'a pas rencontré
        saura-t-il jamais entendre
        la clarté qui vibre parfois
        entre les mots —

Chair noire pour tromper le feu
Iris du désert
Iris de cette même mélodie
qui dissout le toucher
entre deux pages illisibles du jour.
Le regard trempé de naître
aine d'une autre volupté
lentement tu bois ta mort —

Nous cherchions des mots pour courir de vastes étendues
où la lumière se penche et tremble un instant
sur le seuil annulé.

Sentiers épars de nos secrets érodés
la chaleur s'y alite
pelouse fauve de nos tâtonnements.

Senteurs de quels jardins veniez-vous rêver sur
   nos hanches
où nous léchions la poussière de nos plaies ?

De puits en puits
de bouche en bouche
nous maintenions la foi
d'un jardin profond
gisement de sèves
odeurs enfouies
bourgeonnement sous les reins de la terre
d'un puits à l'autre cependant
l'absence s'aiguisait.
L'eau fébrile de la halte
lui donnait son éclat
d'ange exterminateur.

Le jour enflé de fatigue cherche nos failles
l'argile fendu au fond de nos bouches
la langue verte de notre humidité
et comme il s'émeut de nos rires !
L'épure d'une aile serrée dans le marbre
la voix tranchée, clouée, oubliée.
Quelque part pourtant court encore
l'allégresse du chant qui d'un bond déplia
l'espace à jamais du matin —
les neuf voûtes célestes se penchent
sur les fontaines taries de nos sèves.

Les insectes

nés de la même pluie qui a
fait surgir toute une flore du
néant, la lumière comme
freinée par tout ce bour-
donnement, transportent
le pollen des anthères aux
stigmates, s'accouplent et
pondent —

les plantes

seuls êtres directement bran-
chés sur l'énergie solaire, fa-
briquent assidûment des ali-
ments organiques avec un
peu d'eau et de dioxyde de
carbone ; sans elles point de
vie animale —

oiseaux et lézards

se nourrissent d'insectes et
de graines, font coïncider
leur période de reproduction
avec cette double efferves-
cence —

sur un milliard de graines
produites sur une superficie
de 4000 m², seulement un
millier ou deux parvien-
dront à la prochaine saison
pluvieuse. La plus grande
part est ramassée par les

fourmis moissonneuses et
les rongeurs, relativement
peu par les oiseaux.

Si rongeurs et lézards ont eu
de quoi satisfaire leur appé-
tit, serpents, hyènes et coyo-
tes ne seront pas dans le besoin.

Les

        graines

certes savent quand c'est le
moment de germer. Une
juste quantité d'eau d'infil-
tration, une bonne température du sol, les voilà qui se
gonflent, s'activent. Cependant, même quand toutes les
conditions favorables sont
réunies, toutes les graines ne
répondent pas à l'appel.
Chaque espèce constitue
ainsi une réserve, prenant
mesure des inconstances du
ciel

        épines

feuilles rêches, rabougries,
surtout pas d'épanchements
inutiles, rien de ces étalements
de certitudes, d'un bonheur
investi dans les grandes surfaces.

Travailler dans l'aigu, le serré
cultiver l'ellipse.   Pourtant

      les succulentes

         ces fastueuses d'œdème
         ivres de sucs retenus
         sous les vêtements de cire barbelés —

Et ces sourciers qui enfoncent
leurs racines pivotantes jusqu'à
trente-cinq mètres de profondeur
dans les terrains alluviaux —

      oignons tubercules rhizomes

         deux dés à coudre d'une liqueur
         de vie, amère et tenace —

Splendeur d'une S t a p é l i e
variété de plante grasse
du genre C a r a l l u m a
dont les fleurs dégagent un
p a r f u m n a u s é a b o n d
C'est ainsi qu'elle rameute
de kilomètres à la ronde
les bonnes voilières que sont
ces mouches plus somptueusement
vêtues que Salomon dans sa gloire
Calliphora Lucilia Sarcophaga
qui trouvent d'habitude leur bonheur
dans les matières organiques en
putréfaction.

Le scarabée sacré
                    serviteur du Dieu Soleil
roule consciencieusement
de ses pattes d'arrière
sa précieuse boulette de

                    crottin

Parfois la femelle médite
en équilibre sur sa boule.
Souvent on se met à deux
pour le transport et pour le
festin qui a lieu dans un
abri creusé dans le sol.
Etonnant tube digestif! Ce
fin canal, d'une longueur
prodigieuse,   pelotonné
consomme jusqu'à la der-
nière molécule organique
les   maigres   résidus
qu'abandonne   l'intestin
des herbivores. Le mince
filament noirâtre qui apparaît dès les premières bou-
chées au niveau de l'orifice
anal et se déroule sans dis-
continuité jusqu'à la fin du
repas qui dure de 10 à 15
heures, est parfaitement
dépouillé.

                    Quand est venu le temps de pondre,
                    la femelle choisit les excréments les
                    plus riches, les plus onctueux qu'elle
                    peut trouver, pour en façonner non
                    plus une boulette, mais une poire de
                    proportions et d'un fini exemplaires.

                    126

C'est dans la partie étrécie, dans le
col de ce fruit mûr qu'elle creuse le
tabernacle (la comparaison est de
Fabre) où sera déposé l'œuf.

LES ARACHNIDES
    scorpions
    araignées
    galéodes

sont des êtres d'une efficacité prodigieuse, conçus pour la chasse et la
consommation d'insectes dont ils
absorbent presque chaque jour
l'équivalent de leur propre poids.

LE HIBOU FOUISSEUR

peut subsister pendant une saison
entière sans boire. Il se nourrit
d'araignées juteuses.

Une vingtaine d'espèces de

poissons
vivent au désert, dans des trous
d'eau cachés, alimentés par de maigres sources permanentes ; d'autres
surgissent dans les
torrents
éphémères des saisons pluvieuses.

Les œufs résistent à plu-
sieurs saisons sèches, enfouis
dans les profondeurs fraîches
de la terre. Le

né de la dernière pluie, aussitôt qu'il sent décroître l'humidité, creuse à reculons un trou profond où il s'enferme pendant huit à dix mois, autrement dit jusqu'à la prochaine pluie si toutefois elle est fidèle au rendez-vous. Alors, précipitamment il se déterre, s'installe au bord d'une flaque d'eau précaire et se met en devoir de pousser des cris déchirants pour réveiller une femelle quelque part. Pas une minute à perdre.

La femelle ressuscitée pond sur le champ ses œufs qui sont fécondés sans retard. Les jeunes éclosent au bout d'un jour ou deux, se hâtent d'atteindre le fond de la mare pour y achever leur métamorphose. Et déjà il est temps de s'enterrer.

Athlète de l'ascèse hydrique, la

gerbille

vit dans les cachettes souterraines où elle entasse des provisions de graines. Elle ne sort jamais avant la tombée du jour. La saturation de l'atmosphère souterraine lui permet de diminuer sa déperdition aqueuse par exhalaison et de récupérer une partie de cette humidité perdue. Elle est exempte de glandes sudoripares, urine peu et produit des excréments qui atteignent

la perfection en matière d'économie
hydrique.

Une gerbille peut vivre
toute une vie de gerbille
sans avoir jamais goûté

l'eau

Beaucoup d'animaux du désert, surtout des rongeurs et des oiseaux, pra-
tiquent une forme d'hibernation esti-
vale, qui consiste à sombrer dans un
sommeil profond qui leur permet,
grâce à une baisse de la température
de l'organisme et une diminution de
tous les rythmes biologiques, de réduire leurs besoins caloriques et protidiques à peu de chose.

Pline pensait que le chameau
disposait d'un réservoir
mystérieux qui lui permet-
tait de se passer d'eau pendant de longs mois. En fait,
c'est l'hydrogène produit par
la décomposition des réserves de graisse accumulée
dans la bosse, qui, combiné à
l'oxygène de la respiration,
lui permet cette perfor-
mance.

UNE GREFFE D'ÉCLAIR

                              JAUNE D'OR SUR OCRE D'OR

SUR LE VENTRE NU DES SABLES

                              LA VIPÈRE INOCULE

LE VENIN DU DIEU À LA NUIT

Impatients à briser l'horizon pour un autre
le même plus loin   plus loin le pays
où plus rien n'est secourable.
Et notre chute sans fin de même courbure que l'air
en ce vide médian de l'attente d'un arbre
l'oiseau s'est posé quelque part dans l'espace
regarde comme il congédie la proue des hauteurs !

A l'endroit des mots
ce ravin de la danse
chaque jour défait
les rayons de la roue.

TERRE ET PEAU
BRÛLÉES

la bouche et les yeux
     dépossédés
     dépouillés

espace d'un cri
              entouré d'
espace
              entouré de
rien

أيام وليالي ، نهيم

على هيكل تأكل من جسد الأرض

في أنوار المدى والجدار الصفراء

وفي غبراء الجسد والورود

نبتت عن خظر نأعبي باسمين ومحبة

دون من سليلم نفخ الحبيب

La perfection des sphères
nous l'avions vue un jour
trembler dans nos mains.

Contrepoids timide
quand tarit l'éloquence
ah, la lampe reptile de nos corps !

Et certes
            l'immensité est en moi

joie d'aller dans le clair du rythme
qui accorde et sépare les cellules sonores
à la vitesse de l'espace basculant par-delà

            son envergure de lumière

poussée sans halte ni puits qu'elle-même
circulant librement dehors et dedans
toi n'ayant que ce temps et ce lieu
ici dans les pierres pour l'éclairer
                              confondu
                              extradé
                              disrompu
la poussière si revêche sur la langue les yeux
si fluide le bonheur des mots
la confiance du corps dans la musique
la langue sans cesse rompue, chevillée

            à l'amplitude effrayante et
                  heureuse

le voyage rendu au voyage
tout le long de sa route désossée
l'augure examine le fumier du soir
prédit la nuit au cœur de l'homme
prédit des eaux depuis toujours la flamme

            dilatation sans entraves

« C'est pourquoi je vais la séduire,
la conduire au désert
et parler à son cœur. »

Comme ton mutisme s'aggrave au visage de mon éloquence !
Comme tu te voiles de transparence quand je poursuis
tel mot dans tes nervures !

NOTRE FAIM PLUS VASTE QUE LE DÉSERT

« Accusez votre mère, accusez-la !
car elle n'est plus ma femme et
je ne suis plus son mari.
Qu'elle évacue de sa face
son désir prostitué
de ses seins l'adultère ;
sinon je la mettrai
nue comme sa naissance
j'en ferai un désert
une terre désolée
je la tuerai de soif. »

LA SOIF SANS LIMITE DANS LA CHOSE
BORNÉE

138

Couleur de chair levée dans le pain sombre,
Monts de l'autre rive, Edom, Moab.
Porte de mes yeux en marche vers la perte
abrupte de l'étroit sentier
comme le cercle que rompt sous l'aigle la proie
que tu ne vois pas tout au fond.
Là, marcheur et pierre confondent leur usure
l'espace jeté négligemment sur l'épaule.

Pour les hommes des civilisations suméro-akkadiennes et sémitiques d'ouest le désert apparaît comme un lieu non seulement maudit, mais domaine des forces souterraines destructrices. Tel nous le montre du moins le rituel attaché à certains mythes concernant la mort et la résurrection de Tammouz (suméro-akkadien) ou de Al'iiân Ba'lu (ugaritique). Quelques historiens pensent qu'à certaines périodes de l'Ancien Testament, Yahvé devait appartenir au même type de divinité.

Dans les « liturgies » de Tammouz, EDIN est d'abord décrit comme un endroit verdoyant. C'est l'irruption des ennemis dans le sanctuaire (ce « lieu du peuple », ce « lieu de la vie »), le livrant au pillage et à la destruction, le rapt enfin du dieu, qui fait qu'EDIN devient un endroit stérile, désertique.

Cependant le lieu où les agresseurs emmènent Tammouz est également appelé EDIN.

« Il va, il avance vers le sein de la terre
au pays de la mort le soleil
se lève pour lui »

Emue par le rapt divin
Ishtar se penche sur le pays dévasté
« Frère, la verdure broyée,
qui l'a submergée, qui l'a broyée ?
. . . .
à leurs lieux de séjours
tu as détruit les sanctuaires

140

de leurs dépôts, leurs resserres,
tu as fait des pistes et moi
la Dame tu me vois errer
parmi les cheiks bédouins »

Le soir déploie son rouleau de Psaumes
la voix bleuie sur ses assises de lave
récite la montagne sans fond de la finitude
les têtes chauves de l'assemblée muette.

Ote tes sandales toi sur le seuil
du baiser qui t'embrasera !
Et quelle est cette fraîcheur de naufrage
dans la clarté de ton œil
où chaque jour est englouti Canaan ?

Violentes ces nuits si proches du matin.

Tu viens par les fleuves desséchés d'Ethām
dans la stupeur de midi qui nous renvoie
sous nos tentes, mais comment viendrais-tu
dans l'ombre poreuse partager notre faim
quand toute l'étendue est la même flamme.

J'entends le pas sur les débris de lumière.

Ḥabiru   ᶜApīru

En Palestine les cités fortifiées de la
civilisation de l'Ancien Bronze sont
détruites les unes après les autres vers
la fin du IIIᵉ millénaire avant notre ère
par des nomades belliqueux qui cam-
peront durant deux à trois siècles sur
leurs ruines.

Vers la même époque,
l'Egypte de la Première
Période Intermédiaire et la
Mésopotamie d'après la
chute de la IIIᵉ dynastie
d'Ur, devenues vulnérables,
se plaignent des incursions
de nomades.

Les noms MAR.TU (sumérien) et AMURRU (akkadien) qui
les désignent sur les tablettes en cunéiformes signifient :
gens de l'ouest. Il s'agit sans doute des mêmes nomades,
répandus dans tout le Proche-Orient à partir des steppes
de la Syrie, connus aujourd'hui sous le nom d'Amorites.
(A ne pas confondre avec les Amarru / Amorrhéens, nom
donné par les textes de la Bible à une partie de la popula-
tion préisraélite de la Palestine.)

SHÛ-SÎN

avant-dernier roi de la IIIᵉ dynastie
d'Ur « construisit un rempart contre
MAR.TU », une
m u r a i l l e   d e   l ' o c c i d e n t
qui « repousse la force de MAR.TU dans
la steppe ». Dans l'épopée de Lugal-
banda et Enmerkar on souhaite « que

143

les MAR TU qui ne connaissent pas le blé soient écartés de Sumer et d'Akkad ».

ACHTHOÈS III

pharaon de la Xᵉ dynastie met en garde son fils Merikaré contre les incursions du méchant Asiatique « qui n'habite pas dans une place, ses jambes sont toujours en mouvement ; il a été en guerre depuis le temps d'Horus ; il ne conquiert pas et n'est pas conquis ».
Notons que les noms de certains de ces Asiatiques établis en Egypte appartiennent au groupe sémitique du nord-ouest, comme les noms amorites. Nous retrouvons ces mêmes noms dans les
textes d'exécration.

SINOUÉ

partant en exil à travers le désert, mentionne dans son récit la
muraille du souverain
bâtie probablement par son maître, le pharaon Amménémès I « afin de ne plus recommencer à laisser descendre en Egypte les bandes d'étrangers mendiant à leur manière l'eau pour abreuver leur bétail ».
(On pense à la grande muraille de Chine, bâtie également au IIIᵉ millénaire, contre les Huns.)

Les tablettes de Mari mentionnent les noms de bien d'autres nomades turbulents : Sutéens, Hanéens, Benjaminites (à ne pas confondre avec la tribu biblique), enfin les Ḥabiru ou ᶜApiru. Toutes ces peuplades sont plus ou moins apparentées et la continuité entre elles et les divers groupes araméens dont on entend parler pour la première fois dans les textes cunéiformes relatant les campagnes de Téglath-Phalazar I est probable ; d'ailleurs les régions occupées par les Araméens coïncident, surtout en Haute Mésopotamie, avec celles d'Amurru.

Quant aux Ḥabiru ou ᶜApiru, ils posent un problème passionnant. On en entend parler dans les « lettres » (tablettes) d'Abdi Ḥépa, prince de Jérusalem, adressées à Akhnaton, dont il se dit le fidèle vassal. En confrontant les traités hittites et les tablettes de Rās Shamra de la même époque on a compris que l'idéogramme (ou pseudo-idéogramme) SA.GAZ était l'équivalent du Ḥabiru cunéiforme.

ABDI HÉPA
AKHNATON

On pense communément que Ḥabiru ou ᶜApiru désignait plutôt des individus d'une classe sociale qu'une ethnie. Errants sans terre ayant rompu les liens avec leur peuple d'origine, leur tribu, rassemblés en groupes plus ou moins cohérents de nomades éleveurs de bétail, ils étaient aussi des guerriers intrépides. Leur mode de vie requérait un alliage de vertus pastorales et militaires ; épris d'indépendance, ils étaient capables de s'adapter à n'importe quelle situation.

Le mythe de mariage du dieu Amurru parle d'un homme « qui ne sait pas plier le genou (pour cultiver la terre), qui mange de la viande crue, qui ne possède pas de maison durant sa vie et n'est pas enseveli après sa mort ».

La racine ᶜpr en ouest-sémitique a le sens de poussière,

correspondant à l'akkadien
eperu. Les ᶜApīru seraient
les « poussiéreux » des
grandes pistes caravanières.

arammi obed abi

« un Araméen écarté de la tribu (fut)
mon père »
ainsi débute la prière prescrite pour la
livraison des prémices des fruits
(Deut., 26,5), une des plus anciennes
du Pentateuque.

Sur toutes les pistes où tu menas
tes troupeaux de doutes et d'espoirs
ta main dans la douceur noisette du pelage des jeunes
    chameaux,
dans les cuves brûlantes qui se souviennent
du ventre de la terre — tu sais
qu'en dehors de ta foulée reprise à l'aube
aux songes d'enclos il n'y avait rien à trouver.
Rien que ce vaste non-lieu

rien que le grand pas sûr de ton égarement.

Défaite éblouissante d'un vol migrateur
l'herbe bleue coupée sous les ailes.
O la clarté prise dans nos amandiers !
Emerveillement
                    avoir été un jour l'odeur de la terre.

Amont de printemps
nous venions de nulle part, de jamais
abreuver le désert.

Tout est lisse·
ciel et terre défrichés de leurs excroissances
tout est vacant
à l'approche de ton absolution.
Lucides les chambres où tu annonças le sang.
De simple écriture tu te couches dans le calcaire.
Dévoilant rien : fluidité sans prise
ravin de mon œil qui déroule ta lumière
tes paroles pourries au fond des jarres
le même goût de sel qui érode ma vue
et l'œil crie sous la pierre du regard.
Qu'y avait-il donc à dévoiler ?

Nulle agitation à l'œuvre
nulle sueur de l'effort
la soif immense alitée en son oued.
Il ne reste plus que cette rougeur profonde
en-toi-en-moi
sans gouvernail.

Taa-Souît
        disaient les Egyptiens
Terre du vide
            ces déserts entre l'Egypte et la Terre Promise
Badiet et Tīh Beni Isra'il
            désert de l'égarement des Fils d'Israël
            des auteurs arabes
Midbār Šour
        Désert d'Ethām
                    ·   Dunes de el-Ǧifār

2000 ans avant Jésus-Christ
Sinoué l'Egyptien, exilé poli-
tique traverse ces déserts en
route vers Canaan :

> « Alors la soif s'abattit et
> s'élança sur moi ; je râlai,
> mon gosier se contracta, je
> me disais déjà : c'est le goût
> de la mort. »

Les expéditions égyptiennes
du XVᵉ et XIVᵉ siècles avant
notre ère partaient de la for-
teresse de Ṭarou (Tell el-Aḥ-
mar), à quelques kilomètres
à l'est de el-Kanṭara, tête de
la piste stratégique et carava-
nière la plus ancienne en di-
rection de Gaza. L'armée de
Toutmès III mit dix jours à
traverser par cette route le
el-Ǧifār.

Une deuxième route part de
Daphnae (Qom Dafana), de
l'autre côté des lagunes, passant par Magdolum (Tell el-

150

Ḥeir) elle rejoint la côte après Péluse (Tell el-Farama). Alexandre mit sept jours par cette route de Gaza à Péluse, les légions romaines cinq en sens inverse.

Plutarque dira que les soldats de Gabinius craignaient plus le chemin de Palestine à Péluse que la guerre.

Lors de sa campagne contre l'Egypte, Assarhaddon réquisitionne tous les chameaux qu'il peut trouver pour affronter le Ǧifār; Cambyse, le roi sanguinaire et sacrilège réussit sa descente victorieuse vers le delta du Nil où il bat Psammitique III et devient Pharaon, grâce aux bédouins qui l'attendent à chaque étape avec leurs chameaux chargés d'outres d'eau.

Quelque part dans l'aine des provinces éblouies
le verdoiement du règne tactile.
Les yeux, les mains repris doucement dans
    le bulbe obscur
dans la lourdeur fatale des fruits de la terre.
Lorsque enfin le jour
et ses visages qui nous séparent des pierres
ont disparu.

Laissant le ciel à ses fenêtres,
entre nos lèvres et nos bras
transparaît sans nom l'éveil.

L'hébreu de la bible
pour désigner le désert, emploie le plus souvent le
terme

midbār

le radical d a b a r : mener paître, renvoie à un usage primitif de ce mot. Il désignait des terres qui
après la saison des pluies pouvaient offrir un pâtu-
rage aux troupeaux.

L'assyrien m u d b a r u ou m a d b a r u
a ce même sens de zone de transition

Les pâturages du désert s'abreuvent
et les collines se ceignent d'allégresse.

Privée de l'humus nécessaire pour retenir les eaux d'une brève exultation prin-
tanière, cette végétation téméraire est
vite effacée.

la cantate de courbes
des croupes et des flancs
de Judée, de Moab et Galaad
vêtus d'étincellements
dorés de la peau, jusqu'à ce que
sous l'étreinte de l'été victorieux
la terre montre les fibres brunes
et beiges de sa chair disséquée.

Négeb de l'ancien radical sémitique *ngb*
être sec
Arābāh et *yešimōn*, de עָרב et יִשׁם
être aride dévaster
lieux à la fois terribles et sacrés
où l'on rencontre

153

Pour l'Egypte antique
   le désert est un *monde d'exil*, un monde « extérieur »
   (pour le français du Moyen Age, *eissil, essil*,
   signifie souvent « destruction, ruine »),
   là-bas à l'Ouest mystérieux où s'ouvrent au soleil
   vieilli les portes d'un royaume qui lui offre
   sources et ingrédients divins pour se rajeunir.
   Ainsi resurgira-t-il aux frontières est du désert.

L'hiéroglyphe
   qui sert de déterminatif aux différentes notions du
   désert est composé de trois monticules, séparés par
   deux vallons. Pour l'habitant de la plaine nilotique,
   aller au-delà des terres fertiles signifiait « monter »,
   marcher au-delà des montagnes qui bordent la plaine.

Ce signe est peint en ocre jaune
ou rose, tacheté de fauve :

               tel apparaît le pelage vibrant en pleine
               lumière des lentes ondulations
               des déserts de grès et de calcaires
               entre deux clignements de paupière.

Pudeur dévêtue de cette hanche de craies
lorsque se tait l'éblouissement.
Ton chemin serré dans sa lueur au-dedans
le nom sans cesse refondu.
Le jaune dévoilement replie ses nudités
à de plus sombres enflures.
Sous la rugine qui fouille se montre
par endroits l'ossature du feu,
non pas l'onde blanche fulgurante du Tîh
mais la fréquence calme des pores dilatés
qui givrent comme saisis par leur propre rumeur
et cet œil éboulé au sommet du bleu
(splendeur aride au creux de l'exprimé)
où coulent à pic des oiseaux pétrifiés

Quelle douceur sur les pentes de ce lent retour à la terre !
Seul notre bavardage emmêle le visible
s'armant sous la tombée de la nuit.
Affairement d'étoiles.
Mais bientôt
sous la croisée de voûtes de pesanteur et silence
comme un jugement dissous dans l'égale lumière
le haut et le bas, le feu et la pierre
lissés d'un même geste sous la trame soluble.

Pour sanctuaire
la lente saturation de ton soir.
Ciel d'un seul geste qui n'arrête plus la terre,
reins de collines élucidés —
clarté éocène, ses vastes prairies de marnes
mûries sous la mer.
De toutes ces danses et combats de coquilles
la douce dorure de nos yeux.
Que cela. Que ce lit
bistre et fauve de l'incomparable. Rien.
Nous nous coucherons pour seule herbe entre nos mains.

Pli après pli
de faille en faille
déposés
fouillés
épars
dédiés aux fonds du même sans abri —
patiemment le jour se meurt.
Un jour j'aurai vu
ce dernier barrage de lumière cyanosée
aller se dissoudre dans les gris lisses
des galets.
Et ton aile battait encore par endroits
blancheur soudaine qui appelle
dans la mort calme de l'étreinte.

Pour les

citadins pieux à l'imagination vive, le désert, qu'ils ne connaissent le plus souvent que par ouï-dire, est un pays aride certes, mais surtout rempli de ténèbres et de toutes sortes d'êtres effrayants, satyres et onagres, bêtes apocalyptiques —

C'est un terrain de combat entre

DIEU et SATAN

lieu naturellement désigné à ceux qui désirent purifier leur âme que seuls les tentations et les attachements du corps entravent dans sa montée vers la lumière —

Ces hommes, habités par une passion sans limites de l'absolu, semblent avoir compris obscurément que c'était en cette vie même qu'il fallait unir leur âme à Dieu —

Or il s'est avéré que les séductions de la cité, son pouvoir de corruption tant de

159

fois dénoncés par les pro-
phètes d'Israël n'étaient rien
comparés à la puissance
des tentations qu'il fallait
combattre dans un corps
écrasé par les privations. Et
plus les tentations étaient
fortes et plus il fallait briser, réduire, annihiler la
chair —

ILS BRÛLÈRENT DE DÉSIR DANS LE DÉSERT

« Un jour, sur le soir, le Séducteur des hommes prit la figure d'une femme fort belle qui, comme errante en ce désert et lassée d'un travail insupportable, s'approcha de la caverne de Jean d'Egypte et, feignant d'être épuisée, entra dedans et se jeta à ses genoux en le suppliant d'avoir pitié d'elle (...). Jean d'Egypte, touché par la compassion, la fit entrer dans sa caverne et lui demanda quelles raisons l'obligeaient à errer ainsi dans le désert. Elle lui en dit les raisons fausses mais bien inventées et répandit dans la suite de son discours tout le poison de ses attraits, tout le venin de ses flatteries en lui disant tantôt qu'elle était misérable, tantôt qu'elle n'était pas indigne qu'il l'assistât. Ainsi toucha-t-elle l'esprit du solitaire par la douceur si agréable de ses paroles. Des entretiens encore plus doux ayant succédé aux premiers, des ris et des caresses s'y mêlèrent (...). Elle triompha de ce soldat de Jésus-Christ et le rendit son esclave. Car il commença à sentir un très grand trouble en lui-même et à être agité de mouvements impétueux, d'une passion déréglée sans que le souvenir de ses travaux passés fût capable de le retenir. »

Ce sont là des difficultés bien ordinai-
res que l'on doit affronter presque quo-
tidiennement, tant qu'on n'est pas
entièrement mort au monde, transparent —

Le moine Zosime, chantant des Psaumes au désert, aperçut comme l'ombre
d'un corps humain

> or, c'était une femme dont le corps
> était desséché, noirci par le soleil ; elle
> avait des cheveux d'une blancheur de
> laine qui s'arrêtaient à son cou.
> « Je vous prie de me pardonner, abbé
> Zosime. Je ne puis me tourner vers
> vous pour vous parler, car je suis une
> femme et comme vous le voyez, je suis
> nue... »

ÊTRE SEMBLABLE AUX MORTS ET AUX
PIERRES

Ardues sont les pistes
peuplées de monstres
et de douceurs qui nous habitent,
dans la fraternité de la matière —

> ce chemin existe-t-il dans la chair
> et l'invincible lumière qu'ont aperçue
> Antoine, Pacôme et Macaire le grand
> luminaire et grand pneumatophore —

« Un jour Macaire était dans sa cellule,
il regarda vers la droite et il vit. Voici
qu'un chérubin à six ailes et des yeux

nombreux grandement était près de lui. Et lorsque apa Macaire eut commencé de le regarder ainsi en disant : "Qu'est-ce ? Qu'est-ce ?" alors, par la splendeur et la clarté de sa gloire, il tomba sur le visage, le saint apa Macaire, et devint comme mort. »

« Le moine en état d'hésychia est celui qui aspire à circonscrire l'incorporel dans une demeure de chair. Le chat épie la souris, l'esprit de l'hésychaste guette la souris invisible. Ne dédaignez pas ma comparaison. Vous montreriez que vous ne connaissez pas encore la solitude. »

Puiser au feu qui attise le feu
dénuder la flamme du désir
car il soulève l'assise des monts
car il dévore le cœur immobile

Tu seras le sel des eaux en mouvement
quand seront érodés le chemin et l'œil
tu goûteras à cette dernière parole de sécheresse
tu riras de cette dernière ruse de la soif.
Fleuri de ta seule clarté de fièvre
— ô combien odorante ! —
ta bouche remplie de nuits —

« Il n'y a pas le moindre sentier qui y conduise ni aucune marque qu'on puisse faire sur la terre pour y arriver. Mais on y va en observant les astres. On y trouve rarement de l'eau et lorsqu'on en rencontre elle est de très mauvaise odeur et sent comme le bitume, mais le goût n'en est pas désagréable.

Il y a là des solitaires d'une immense perfection, un lieu si effrayant ne pouvant être habité que par des hommes qui embrassent une vie parfaite et dont le courage et la confiance sont à l'épreuve de toute chose. »

Pour ce torrent sans lit
ce chant immobile de pierres

Pour cette douleur étroite
ce chemin de nul nerf

Pour ce feu austère dont nul arbre ne brûle

Pour cette flamme jamais née
qui charrie l'obscur de ma voix

Pour ton nom muet qui enchante mes oreilles

Pour ce qui me reste de fraîcheur
Pour ce repas de poussière

Pour cette eau qui monte
dans la clarté des pierres

Habiter nulle part nul temps
suivre librement le commerce des nervures
les tessons épars du rayonnement

        claviers de tant de pas de sabots
        et tout un monde brisé au clair
        bruissement herbeux cailloux

dans le voyage sans fin immobile

        reste le LIEU désert
        tout lieu reste désert

« dans les palais poussent des ronces
la vipère y nichera, y pondra
là se rassemblent les vautours »

        lettres et chiffres de même écriture

Nos corps cambrés sous le fouet du jour
la nuit trouve ses sentes de ruissellement.
Foyers que de plus denses consument
nos gestes fondus à ce rivage où roule
l'océan en chasse de son cœur dérobé —
nous sentons déjà sous la mort de la lumière
le tendre fumier du matin respirer.

Telle une présence ronde dans la paume de l'homme élargit
son âme jusqu'à manquer à la terre.
Par cette pente du fugitif
j'aperçois les tables nues des vents,
la vacuité de ta demeure.
Départ et fin de même signe.

Tu ne peux rien à cette nuit.
Aveugle blanc aveuglant dans ce noir.
La douce cendre de ta vision dans le vent !
Parfois tu touches la clarté de ce qui s'effondre
silence que plus rien n'entend.

Mon pays est si large que les chemins sans relâche
s'effacent se croisent se relaient —
des vies me traversent et me brûlent parfois
ô les chansons !

Reste à jamais
la porte toujours fraîche
de l'histoire du feu.

Cette joie chaude qui demeure d'avoir mêlé
nos ferments dans la tige,
Nos jours exténués dans ce fût de nuit
comme une aube d'espace sur des rivages de chair
le lit osseux où roulent les matins
sous un regard d'herbes qui pousse dans les flammes.

Tant qu'un

ATHLÈTE DE JÉSUS-CHRIST

demeure dans ce monde —
        chacune de ses victoires lève des troupes
        ennemies innombrables —

Qu'ils soient nomades ou anachorètes
la vie des hommes au désert est un
combat quotidien

        L'APOCALYPSE
                    depuis toujours commencée

et je me rappelle les aubes de Mōğib, de Ḥesā
paysages de commencement et de fin d'un monde

        pulsation des pores du granit et des grès
        clignement de notes sur les portées immuables

Encore cette aube.

Etincellement sur nos hanches de l'abrupt.
Clartés solubles, clandestines.
Fourmillement dans les ombres engourdies,
portes, passages, alliances.
Dans le pain sombre des choses
la brume de molécules sonores.
Tourbillons d'air laineux dont s'arrachent
de petites planètes de neige.

Insoupçonnés par un matin pareil nous gardons
nos mots parmi des fleurs légèrement penchées
curieuses de la terre assoiffée qui déchiffre —
Le jardinier sans même un regard déballe ses outils
mesure ses mains, son eau, son espoir
à la clarté croissante du dénudement —
pendant que le jour s'énerve dans ses éclats.
Sans fenêtres et sans dehors, le clou brille
dans le mouvoir exorbitant.
Les fonds ont fondu à nouveau.
Nous voyageons de grève en grève inguérissables.

Prosterne-toi dans la grisaille d'aube
vers la rive est de ta fraîcheur.
Chante dans la face du soleil levant
ta robe du jour où la chair humide
d'amour et de nuit se lève pour apaiser
s'ouvre pour accueillir le baiser fatal
rapiécée d'espoirs et de craintes
Revêts ta bure blanche de la page consumée !

« L'Arabe et tous les princes de Qédar eux-mêmes étaient tes clients :

« Ils payaient en agneaux, béliers et boucs. Les marchands de Sheba et de Rama trafiquaient avec toi : ils te pourvoyaient d'aromates de première qualité, de pierres précieuses et d'or contre tes marchandises. Haran, Kanné et Eden, les marchands de Sheba, d'Assur et de Kilmad trafiquaient avec toi. Ils faisaient trafic de riches vêtements, de manteaux de pourpre et de broderie, d'étoffes bigarrées, de solides cordes tressées, sur tes marchés. »

Au bout de tant d'années vécues dans la nudité de la terre,
tu regardais ce lieu étrange d'un arbre.
Tu avais vu le monde fait de grandes pages claires et
inexorables
ouvertes à la foulée d'un souffle sans attaches.
En ce jardin d'oliviers tout se nouait.
Que voulaient dire ces méandres, ces divisions, ces rivets,
ces ombres dans l'ombre sous des paupières brillantes ?
Tu leur montras la nudité de tes nerfs, cette faible lampe
de ta douleur.
Au plus bruyant de la gloire et du désastre, peux-tu
entendre encore
le chant des hanches douces de Gibrine, le bruissement
poreux de ta provenance ?

175

HABITANT DE L'ESPACE

homme sans attaches
flâneur du mouvement éternel

Renoncer à tout ce qui peut lier, entraver la marche,
alourdir la charge des chameaux —
vivre de peu
sans mesure
dans la lumière à fendre l'œil
serrant l'horizon entre les paupières
le camp levé avant l'aube
reprendre sa piste terminable
dans le rayonnement sans terme
la marche
peaux et textures où couve
le bruissement de la divinité
un verre d'eau fraîche
une tasse de café
un œil en amande
*Ton œil a marqué de stigmate mon
cœur et voici qu'ils sont larges fentes
pareilles*
un coup de lance
sur cette nudité de craie et de chair
le souffle indissécable d'une pulsation

être présent à l'abandon à l'absence
parent du silex et du grès
des chemins non tracés
du délitement des aubes
l'ardeur du silence au foyer nocturne
le frémissement d'eau

de la voix du conteur
les yeux brillent de désir

PAYSAGES DE GENÈSE ET DE CHUTE DES ANGES

Théologie du souffle et de la soif
de la lumière qui monte dans les corps
dans les pierres

Matin de fraîches et de fauves —
tu offres tes fruits à la foulée d'un commencement
tes cuisses encore humides de désir, dévêtues de
   gravité —
comme le chant est déjà loin de son fardeau de
   campement !
Comme il lave les pores du regard !
Habitant du geste sans gîte
nous épousons les porches du dieu
levés dans la poussière —

         d'un seuil absent à l'autre
         porteurs du souffle nos ventres, nos poumons
         sentent l'iode, la levure
         ce faible mouvement aux attaches de la nuit !
         Non, pas de rêves !

Nos corps connaissent la franchise du parcours
innocence si vive dont nous cloue l'unique
battement au cœur d'un vide —

Nos vêtements sont brûlants   le regard
durci renvoyé à ses travaux de terrassement
fondu   coulé   là où bifurque la lumière.
Pour toute vision : une douleur blanche dilacérante
peux-tu encore sur cette terre dansante damassée
de vapeurs entre les deux nerfs optiques
étendre la voûte des cieux ?
Cependant la rosée.
                    Elle couve dans les muscles de l'incendie
                    elle a ses gîtes dans les croûtes noires
                    elle a sa vitesse dans les artères qui pulsent
                            dans le blanc intense
                            dans le fleuve des laves
                            ignorant la mer.
« J'ai été dévoré par la chaleur du jour
par le froid de la nuit
et le sommeil a fui mes yeux. »
                    Ciel d'airain
                    terre de feu immobile
                            frappés de consomption
                                    de fièvre chaude
                                    de rouille et de nielle
                    pour seul nuage des nuées de lœss
                    couleur de bile et de damnation
                    qui voyagent à la manière des fantômes
                    grands lambeaux d'âmes poussiéreuses.
La rosée en marche.
                    Dans les fûts de lumière
                    dans les canaux obscurs de calcium
le jour caché dans son squelette d'aromates.
                    J'ai dévoré la chaleur du jour
                    le froid nocturne grésille dans mes pores
                    comme un asthme de Dieu
                    le sommeil criblé de feux de givre
                    l'odeur de pierre baise la rosée.

179

Peu à peu nos pierres dans le règne pulsatile
se découvraient un faible tremblement d'entrailles
de nerfs lisses et de squelettes frileux.
Et tous ces gestes neufs sous la rosée !
Irrigués de lueurs dans le noir humide
ah, la cécité odorante des carrières de jasmin !

« Si tu me vois, semblable à l'animal
qui vit au milieu des sables exposé à
l'ardeur du soleil, dans un état de misère, les pieds nus et dépourvus de
chaussures, sache que je suis un homme dévoué à la patience ; je cache sous
mon armure un cœur de lion, et la fer-
meté d'âme me tient lieu de sandales.
Tantôt je manque de tout, tantôt je
suis dans l'abondance ; car celui-là est
véritablement riche qui ne craint pas
l'exil et qui n'épargne pas sa vie. Le
besoin et l'indigence ne m'arrachent
aucun signe d'impatience, et les riches-
ses ne me rendent point insolent. Ma
sagesse n'est point le jouet des passions
insensées ; on ne me voit point recher-
cher les bruits défavorables que sème
la renommée, pour ternir, par des rapports malins, la réputation d'autrui. »

> « Lorsque je prends la terre pour mon
> lit, j'étends sur sa surface un dos que
> soulèvent des vertèbres saillantes et
> desséchées, et je repose ma tête sur un
> bras décharné, dont toutes les articula-
> tions semblent autant de dés jetés par
> un joueur, et qui sont dressées debout
> devant lui. »

Ah quelle honte fils du grand
émir que tu sois devenu un
serviteur de ces gens peints
de rouge et parfumés, la
nourriture de la ville t'a rendu ventru, bossu.

Comment peux-tu t'enrober d'humilité,
être dépouillé de toute fierté,
après avoir vécu libre et glorieux.

Au bout de millénaires de marche dans l'insomnie
dans l'exigeante pureté du matin sur la terre
s'en souviendra ma bouche remplie de calcaires
et chaque matin nous leva dans son odeur de pain
cuit sur la pierre au hasard des campemènts
ainsi traversâmes-nous Šour, Ethām, Ǧifār
portant nos poumons à bout de bras en flammes
ce soir sans faille enfin, ah, ne t'endors pas
tu pourrais réveiller la lumière qui sépare —

Ciel nu de ma naissance, pudeur de cette mélodie qui se rompt au-dehors, où l'ignorance de ma langue adhère un instant —

sol cuit de soleil et de gel   fouillé d'eaux brèves du soc des vents qui émaillent ta vision

tel un cri qui ne pouvant se trancher   de même poussière qu'alourdit maintenant le noir

le souffle qui chasse devant toi l'espace ce pas au-dedans qui t'arpente et te creuse

qu'il m'enflamme des baisers de sa bouche !

ḤAMSĪN

l'enfer transparent de l'Arābāh
nous marchons depuis toujours
dans le corps vitreux embrasé de Dieu
colonnes de sable et gerbes du vent
foulées dans l'aire du pauvre
nous marchons depuis toujours
dans un mur meuble de granits
dans le sifflement du feu qui monte
du sol damassé au rose des poumons

nous marchons depuis toujours

sur les eaux en songe du monde

Combien de chemins n'avons-nous tracés dans la nudité
*   de nos corps !*
Combien de faîtes, combien de lignes de partage portés à
*   effondrement !*
En ce pays de nul chemin que vienne celui de nulle part.
Que vienne la lumière qui nous abattra. Nous tremblons
juste assez pour garder intacte la soif.

Je cherche le poignard de la piste dans ce midi
    époumoné
je cherche une aile occulte à mon pas lourd et opaque
un chant possible à ma langue collée dans la poussière
une lèvre plus que mémoire à mes lèvres séchées
je cherche une respiration au fond des pierres
une fraîcheur qui monte dans la citerne des yeux
une dernière eau où s'agenouille la clarté.
J'attends la nuit avec les scorpions.
Avec l'étoile précise à l'heure de se taire.
Et il fallait encore et encore se déshabiller
s'évider   s'excaver   s'exfolier.
O imprudent voyageur !
Tu ne soupçonnais donc pas la cave ardente de ton œil
ô trop prudent regard !

Holocauste par le feu, odeur apaisante aux plèvres du soir glissant très bas sur les croupes poreuses.

Dieu rude d'un pays dur, d'une terre injurieuse à toute chose parée.

Dieu sans nom de ce pays sans lieu, parfum de pierre de nos campements quittés.

Ton livre, ta parole, tes éruptions de lave et de poix se sont tus.

Se sont tus à même la lumière qui bout dans les roches, surgit dans les pores et pollens du volcan refroidi.

Les baumes de Jéricho apaisent les pentes rasées, le ciel muet d'oiseaux.

Le géomètre plie ses jalons, ses fiches, ses équerres d'arpenteur et ses mires, ses trapèzes et ses triangles pour soudain écouter.

Ecouter battre le corps transparent de son œil dans le crissement des craies.

Vacance à ta pesanteur. Le chant fuse dans la densité du monde reclos.

Tu ne demandes pas : « Où es-tu ? qui ? »

Ta bouche est rêche, ta langue boiteuse dans le visage sans couture.

Loin sous mon pas tremble mon pas
Loin sous ce chemin tremble le chemin
d'avoir heurté l'irréfragable rigueur
et l'œil qui vient à la rencontre de l'œil
et voici sous les cils la montagne liquéfiée.

Ce grand corps de fauve minéral
qui mille coudées plus bas
pourrit dans l'eau de sa mort.
Et plus bas encore
que tu ne distingues plus des hauteurs
ce désastre incomparable qui t'émonde.

EAUX DÉSERTES

Quand vous entreprendrez de descendre à saute-mouton, par-dessus les croupes arrondies du désert de Judée, vers le fond de la

grande faille tectonique,

arrivé tout en bas, dévoré par la soif, vous apercevrez une grande étendue d'eau

EAU

Non ce n'est pas un mirage.

Vaste surface d'eau
d'un bleu sombre
tirant sur l'indigo
découpée telle une pierre
précieuse dans l'ocre brun
des monts de Moab.

Il faut en goûter la puanteur
de bitume et l'âcre morsure
des sels de potasse pour
comprendre que cette masse
d'eau n'est pas faite pour dé-
saltérer. C'est le

Des tonnes d'eau arides et malodorantes

> Aristote remarque : « S'il existe réellement en Palestine, comme on le raconte, un lac tel que si on y plonge un homme ou une bête de somme, les membres liés, le corps surnage et ne coule pas au fond, ce serait là une confirmation de ce que nous venons de dire (que l'eau salée est plus lourde que l'eau douce), car on assure que l'eau de ce lac est si amère et si salée, qu'aucun poisson n'y peut vivre et qu'il suffit, pour nettoyer des vêtements de les y tremper et de les secouer. »

(Notons que cette dernière assertion n'a pas reçu de vérification expérimentale à notre époque.)

> Aristote pensait que les poissons périssaient dans cette eau, faute de pouvoir *s'y enfoncer*. C'est Galien de Pergame qui le premier émit l'idée que ce devait être *l'amertume excessive qui était funeste aux êtres vivants.*

Depuis, nous avons appris que la vie ne recule devant aucune amertume. Dans cette saumure infâme (faite de chlorure de sodium, de manganèse, de calcium, de potassium et de certains bromures), des algues de l'espèce *Dunaliella* ajustent leur pression osmotique en produisant du glycérol ; plu-

194

sieurs espèces de bactéries s'y développent en bonne intelligence. Des anaérobies du genre *Clostridium* peuvent expliquer la formation dans les eaux profondes, anoxiques, de sulfure de fer bien connu pour son odeur d'œuf pourri.

Flavius Josèphe raconte que Vespasien, pour donner une vérification expérimentale aux affirmations selon lesquelles les corps les plus lourds qu'on y jetait devenaient si légers qu'il était impossible de les immerger, ordonna de jeter au large des gens ne sachant pas nager et auxquels on avait lié les mains derrière le dos. *Or tous surnagèrent comme poussés par l'esprit.*

Si les effets de la salinité intriguaient les esprits, la puanteur et les miasmes les remplissaient de toutes sortes d'inquiétudes.

Le géographe arabe Yāqūt écrit vers 1225 : « L'odeur fétide du lac est extrêmement nocive et certaines années le miasme se répand dans le pays et cause la mort de toute créature vivante. »

et Tacite :

« Je veux bien admettre que des villes jadis célèbres ont été brûlées par le feu du ciel, mais j'estime que les miasmes sortis du lac infectent la terre, corrompent l'air qui le baigne et, par suite,

195

font pourrir les fruits de l'automne, le terrain étant également malsain. »

L'exploitation du bitume de la mer Morte, appelée *lac Asphaltite* par les Anciens, a été sans doute la principale ressource des environs de Sodome. Employé comme matériau de construction et enduit pour embarcations, il a été très recherché par les e m b a u m e u r s d'Egypte.

Strabon décrit dans sa géographie les émissions d'asphalte du lac de Sodome :

« A des époques indéterminées, *cette matière jaillit du milieu de l'abîme* avec des bulles pareilles à celles de l'eau bouillante ; sa surface extérieure lui donne l'aspect d'une colline. Elle est accompagnée d'une suie abondante à l'état de fumée mais imperceptible à la vue, qui ternit cependant tout métal brillant... C'est même en voyant leurs ustensiles se ternir que les riverains sont avertis de l'imminence d'une éruption de bitume ; alors ils se disposent à le recueillir sur des radeaux de roseaux... »

Au dire de Posidonius, les gens du pays, qui sont sor-

ciers, ont un procédé pour donner à l'asphalte cette consistance qui permet de le couper en morceaux :
ils prononcent certaines incantations magiques, en même temps qu'ils imprègnent l'asphalte d'urine et d'autres liquides malodorants.

Peut-être est-ce l'urine elle-même qui possède cette propriété solidifiante, comme quand elle forme des calculs dans la vessie ou qu'on prépare la chrysocolle avec de l'urine d'enfant.

L'auteur du papyrus RHIND s'adressant à un défunt, écrit :
« Anubis, en tant que taricheute, garnit tes cavités de mnnyny »

Ce mnnyny est probablement analogue à la m u m y ā, ou m o m i e des auteurs arabes et grecs. Elle désigne une substance minérale

NOIRE

vraisemblablement identique au

BITUME
le
PISSASPHALTE

qui est la mumyā après avoir été charriée

197

par les eaux du haut des montagnes. Elle prend sa forme définitive arrivée à la fin de sa course :

« ...alors, épaissi et ayant une apparence poisseuse, il s'en exhale une odeur de poix mélangée d'asphalte »,

dit Ibn el Baitar, dans son *Traité des Simples.*

le

RITUEL DE L'EMBAUMEMENT

parle d'une pommade appelée

« Onguent de pierre qui noircit le phallus »

elle rend aussi l'usage des jambes et de l'ouïe.

« La momie des tombeaux »

des auteurs arabes correspond vraisemblablement à un produit composé de

pissasphalte
aromates divers et
pierres précieuses
porphyrisées.

Au XVIIIe siècle on en expédiait des quantités importantes en Europe. On le dit souverain contre les contusions et certaines affections de la circulation comme de la respiration.

Ambroise Paré rapporte comment un médecin du roi de Navarre a découvert dans le magasin d'un juif d'Alexandrie une quarantaine de corps grossièrement embaumés par le marchand. Ces corps embaumés dont on extrayait la « momie » étaient vendus pour usage médicinal. *Les cadavres dont on enlevait les viscères étaient desséchés au four, ensuite trempés dans de la poix noire.*

A la momie noire ainsi obtenue on opposait la momie blanche que produisaient

LES CADAVRES DES VOYAGEURS MORTS DANS LE
DÉSERT

Si vous avez la chance de pouvoir acquérir un peu de momie blanche ou noire vous pourrez vous en servir utilement contre

la céphalalgie pituitaire ou algide
la migraine
la paralysie
le tic facial
l'épilepsie
le vertige

si vous en faites dissoudre de la grosseur d'un grain dans de l'huile de jasmin vous obtiendrez un remède puissant contre

les douleurs d'oreille

il faut en faire dissoudre un q u i r a t e dans du rob de mûres ou de la décoction de lentilles et de réglisse contre

les angines

un q u i r a t e avec de l'eau d'iris ou de menthe contre

les palpitations

et une graine avec de la décoction d'ache et de cumin de Kerman contre

le hoquet.

199

Et tout de même
        dans l'aine brûlante du Sud
viennent s'ébattre des grands squales bleus et des
    papillons
            entre le vison minéral et les calcaires de daim
            entre les monts de fer qui dénudent
l'œil et les vents irisés d'un commencement
là où Dieu parla à ses peuples
            entre les laves noires du Sinaï
            et le brasier fauve du Djebel Hirā
            entre Celui qui avança dans l'incendie
            et Celui qui vint à travers
            des pans de ciel écroulés
Celui qui a formé l'homme de glaise et
Celui qui le créa de sang coagulé
            il y a le chant de la mer
            il y a ce grand corps souple de lilas
            et les dix-huit dards poisonneux sous les
            plumes ébouriffées du ptéroïs volant

MER ROUGE
            à la chair violette d'iris du désert
            aux entrailles de coraux sépia
            et plus bas
                    dans les mines profondes de la nuit
                        une dernière flamme
                        de corail de feu.

200

Et une fois de plus
        partis de cette première faille
                              orange et verte
qui couve sous la voûte nocturne de l'acier
        nous avons marché dans ce pays dur
                              de la soif et des rêves,
marché du front abrupt jusqu'aux flancs plus doux
                              de la lumière,
errants de combien loin ?
et quelles distances parcourues sans jamais
        jamais avoir quitté
                        le centre serré du silence ?

Ici
    toute la terre
              se repose de sa fécondité
et tout son bonheur est tendu entre
              deux gazelles et deux nuits
distants à peine d'un pli dans la lumière
            et le défi tranquille
de l'horizon imprenable.

Regarde-moi encore une fois
Parente sans ombre courant le soleil —
en ce creux où lentement s'usent nos viscères
ces pistes de lymphe qui embrument le soir
nos fleuves où se couche la mémoire du feu.

Tu te tais encore.
Tu entends retomber l'écho
du chemin battu.
Défait comme un vol privé d'air
et la chute dépourvue de son centre de gravité.
Nulle écoute, nulle piste, nulle trace.

Jérusalem, 1954-1970.

NOTES

Page 95.

Job, 6, 15 ; adaptation de l'auteur.

Page 96.

Ḥârra : étendue couverte de pierres volcaniques comme on en rencontre souvent en Arabie.

Ḥamd : louange.

Hijra : émigration, se dit par excellence de l'Emigration de Mohammed de Mekka à Medine.

Page 104.

Ex. 4, 25.

Page 112.

Cavernes royales (ϭκήλαια βαϭιλικά), nom donné par Josèphe aux carrières de calcaire dur, dit Malaki (royal), à Jérusalem.

I Rois 5, 31.

Lév., 14, 34.

Page 114.

Le mot *désert* en suméro-akkadien (*mad-ba-ru*), hébreu (*m d b r*), ugaritique (*m d b r*), égyptien (hiéroglyphe) et arabe (*Sahra*).

Page 133.

Poème de l'auteur traduit en arabe par S. Al Joundi.

Page 136.

Os., 2, 16.

Page 138.

Os., 2, 4 ; adaptation de l'auteur.

Pages 140-141.

D'après Zimmern, *Tammuzlieder* ; Myhormann, *Babylonian Hymns and Prayers* ; Reisner, *Hymnen* n° 8 ; adaptation de l'auteur.

Pages 143-146.

Cf. J.B. Pritchard, *Ancient Near Eastern Texts Relating to the Old Testament* ; R. de Vaux, *Histoire ancienne d'Israël* ; J.R. Kupper, *Les Nomades en Mésopotamie au temps des rois de Mari.*

Page 155.

Badiet et Tīh, désert de la péninsule du Sinaï.

Page 160.

Ps. 106, 13-14.

Histoire des moines d'Egypte de Rufin d'Aquilée.

Page 161.

Vie de sainte Marie l'Egyptienne ; textes cités par Jacques Lacarrière dans *Les Hommes ivres de Dieu.*

Page 162.

Vie de Macaire, texte copte.

Jean Climaque, *Echelle*, degré 27, cité par Lacarrière.

Page 164.

Rufin, *Histoire des moines d'Egypte.*

Page 166.

Is., 34, 14-15.

Page 174.

Ezéch., 27, 21.

Page 176.

Al Moutanabbi, *Tranquilles sont les espions* ; traduction G. Makdisi et J. Grosjean.

Page 179.

Gen., 31, 40.

Page 181.

Chanfara ; traduction S. de Sacy. Le dernier paragraphe est inspiré par un poème bédouin (tradition orale).

Page 185.

Ḥamsîn, nom donné, au Proche-Orient, au vent chaud du sud, chargé de sable.

Page 194.

Le détournement des eaux du Jourdain, pour favoriser l'agriculture, a entraîné au cours de ces dernières années une baisse importante (environ 6 m en 1979) du niveau de la mer Morte. L'évaporation étant supérieure aux apports d'eau douce, il s'est produit une augmentation de la salinité dans les couches superficielles (30 à 50 m) jusqu'alors isolées de la masse profonde, inerte, beaucoup plus dense, par le gradient de salinité. La réduction de l'écart de densité entre les deux couches a fini par déclencher des mouvements de circulation détruisant la stratification et aboutissant à une égalisation de la salinité. Tout cela, bien entendu, s'est accompagné d'une diminution importante du nombre des micro-organismes.

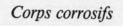

Corps corrosifs

Au creux du soir elle venait
dispersant les chemins
venait dévêtue de distances
venait du non-pays
venait mélodie nue dans sa chair
imprononcée.

Deux mots courent dans nos veines, serrent et
        desserrent
la croissance des bourgeons.
Arbre et éclair de même espace
du même pouls déplié rouge dans le vent.

Une rose trémière très pâle s'est hissée dans le soleil.
Les blés continuent à remuer
derrière nos pupilles
                        comme si l'espace criait
doucement au secours.

En été quand les grenades se fendent et pourrissent les
        puits
entre les cigales qu'écrasent les bull-dozers

211

la terre maintenue debout par
de longues transfusions de nuits.
Nos mains trouvent encore
sous le vacarme solaire
le serpent silencieux.

Dans l'amande du cri qu'on n'a jamais ouverte
le poids trop dense pour le nom,
semence déposée dans l'estuaire de nos langues.
Dans la nuit vulvaire
fondée en volupté
l'œuvre de souffle et de sang.
Témoins certes, mais comment revenir
lorsque s'écroulent les rives du sentier,
s'écroule le chant dans le feu.

Sur le seuil ardent
pèlerin rebelle
je dépose mon insomnie.
Nous devançons le jour
d'une longueur de lumière.

Ciel sans poutres et sans mât
lumière foliée de bleus assassins
et des beiges, des beiges et des bronzes
duveteux des pentes où les doigts crient
et tu ne comprends pas.

Oiseaux qui précédez la lumière dans vos gorges
préparez le chemin de l'aveugle.
Vous qui d'une lame mince de frémissement de chair

traversez la pierre anfractueuse
brisez nos miroirs encore aujourd'hui.

Parole serrée sous les téguments du noir,
au reflux des sources.
Chemin d'affluence
où elle ne vint jamais, n'alla jamais.
Sous le porche où l'on accueille le barbare
parmi le feu, les flèches et la mort
j'ai couché la steppe sur ton ventre
et la langue brûlée j'écoutais
le battement profond de tes eaux.

Eté de pistes, de poussières. Terre sans séreuse ni
        poumons.
L'eau brève de la halte
bue aux bouches d'un autre corps brûlé.
Sous un grand sommeil d'arbre l'errance nous livre
à une flamme plus sombre
sans boussole et sans barre.

Creusement incoercible
toucher déhiscent d'une charnelle gravité
tu me voles à ma pesanteur.
L'égout des mots bavards et leur lymphe
drainée aux rivières du mutisme.
Sur la piste meurtrière, dans la solitude sauvage,
tu entendis venir la douceur
boire à cette eau infectée.
Ton hurlement paisible des grands fonds
quand tombe le couperet de la lumière.

Lenteur de nos membres frayant leur chemin
entre le fer et la volupté.
Le même visage allant à son absence de visage
apportant sa fraîcheur menacée, sa tiédeur de nuit
en ce séjour nu.

Toi blanche, sévérité somptueuse,
tourbillon compact lentement dégrafé,
sans renoncer à ta rigueur première,
ordonnance incisive,
Cœur Ouvert de la Règle.

Serrure musclée où s'embrase le mouvement
debout sur le seuil avivé
la porte océane éclose
sur nos gonds doucement érodés.

Sur les marchés de l'aube
nos lits où sèchent les pieuvres.
Sous le bond du soleil
le tendre négoce des mains pulvérisé.
Le sable nous boit à l'aine de nos résurgences.

Nous plongions au large des Sporades de la mémoire,
au large des cris et des tambours d'un temporel périmé.
Des chardons, une chapelle naufragée du bleu.

Nous demandions au sel d'entamer l'écorce
aux eaux de poursuivre nos pentes dénudées.
Sous nos doigts couraient translucides les mêmes crabes
avec le même point bleu approfondissant les sables

et d'une même bouche nous buvions
à longs traits la naissante obscurité.

Douceur des ombres embusquées sous les reins
que dessinent les dix crayons du tâtonnement.
La ruée barbare courbée par la hanche,
fuselée par les arches, et nos mains couchées
lentement dans les nageoires du jardin de mer.

Cistes votifs sur l'accalmie du gouffre.
Nuit d'espace, voici nos repères !
Tu peux poser ton égarement rapace
dans notre brièveté lapidaire —
arrête et reconnais ton bronze dispersé
ton froment sauvage des antipodes où
cherche à s'essouffler la lumière.
Pétrie sur tes débarcadères, l'épaisseur fumante de nos
        voluptés.
Des bêtes transies s'y frottent en hiver.

A cet endroit si dense est la langue
que la chair se penche
et quelque chose nous manque aux attaches
comme manque soudain l'aile qui vire à l'espace —
tu sais, tu as vu les augures,
tu veux crier
et le son n'est pas.

Cri aveugle du blanc de l'œil
contre le blanc
des murs.

Je t'aime saison dévastante, matrice rompue de chaleur,
tes feux bleuis par les vents, tes distances liquides
qui sèchent sur ma peau.
J'aime ta soif et ta rigueur d'oubli
qui poignarde le conquérant.

Je cherche toujours le même soir aveugle
dont la terre mangée par les acides solaires
fermente dans sa chair de bruns si chauds
que les yeux tremblent dans le pouls apaisé.
Chemin de craie issu du creux sombre
qui monte vertical et repense l'espace
irrigué par ton centre de rougeur
pardonne au ciel la mort du jour et du dieu —
invente sans répit en t'effritant
le simple, le peu, le rien.

Fin d'été.
Tes hanches de Judée, de Moab, d'Edom
fouillées, gravies de fièvres et de safran.
Maintenant que le ciel se découvre des ombres
elles révèlent leurs armes de clarté.
Sous le poids croissant du soir
le blé ravi de l'étreinte.

Ton soleil brûle encore
soleil de dards, de venins —
ici s'est ruiné l'été.
Le mercure muet de nos corps à corps
gicle dans le vantail du jour,
mât errant de l'enclos de lumière :
ici sombra la figure de proue.

Car sous la dureté intraitable
quand le soleil nous abat face contre terre
sous nos mouvements d'agonie et de joie
nous retrouvons des nageoires de mer.

Dépouillée de reflets, l'émeute a foré son puits.
Il fallait sous l'obnubilation du jour
— quelles forces ne déploie-t-il pas pour nous
      convaincre —
retrouver ce lit simple
ravin où se brise l'oiseau migrateur.

Ah, comme ce jour glissait sûrement entre nos parois de
      cyclamen !
Se dissolvait.
Et la caverne gorgée de nuits avec ses impératifs de
      corail !
Sommeil ô arme blanche sur les sables
la mer nous enfonce dans une poitrine inconnue.
Peut-être nos mains voient-elles plus clair
dans la pénombre où bougent tant de commencements
de tant d'enfance.
Des lés plus jeunes que l'âge de qui voit
où nous venons sans fin luisants dans le noir.

Pour une science ardue de nos obscurités :
le silence, la foudre, l'artère.
La force oiseau, calme flocon de braise
fascine les encres du gros temps,
parole de matin dans les gorges de pesanteur
elle tient en laisse la dispersion.

217

Laisser tomber les flocons de temps,
laisser neiger nos corps —

Dans l'arène osseuse l'opulence des reins.
En haut des mouettes croisent leurs cris
quand l'hégire bleue les déracine de mer.
Dans la paume de l'ombre le bivalve du couchant
la nacre de l'âme dans la chair forcée —
l'épave plus claire que l'œuvre.
Ici nous déposâmes nos noms.

La soif éclose aux vases d'embouchures,
poisson vorace dans la pompe des fruits.
L'huître à force de lenteur, d'essoufflements
dessine les nerfs gris de ses songes.
Cousus des rythmes du ressac et d'artères
nos temps putrescibles chantent magnifiquement !

Heureuse dispersion !
Fatale brisée de l'œil !
Dansent là-bas sur les faîtes de brumes
nos sangs chuchotés.
Nous avons fouillé la vague sous ses ronces
traqué des couchants célèbres et nous fûmes
serpents dans la fontaine de nos gestes.

Nos mots font nuit dans les flamboyants,
dans nos veines plus bleues que le soir
le soleil replante ses oranges secrètes,
ses poignards d'orient.
Musique où s'ouvrit la douce plaie obscure,
halte fraîche dans l'éloquence du dieu.

Ici combattirent
cerclés de noir et de gouffres furtifs
le mât du sang et la houle héritée de mer.
A l'aube : un peu d'eau qui tremble
au nombril d'une pierre.

Courbe musicale qu'une lampe au-dedans compose sans
        effort,
la vallée du chant éclaire l'épaisseur de l'officiant.
La chair opaque allumée par la chair
ouvre ses ravines dans l'assurance de saisir.
Couvent de Cyclades dans la nuit abrupte —
notre chaux crie longtemps dans la falaise.

Sous le feuillage dormant du feu
la bouche pour aimer, pour maudire.
O le travail fervent dans l'antre noir des couleurs !
Et le mutisme tout autour,
la conspiration des nuits
et l'antique récitation qui érode le danseur.

Chant dans les muscles du chant —
jubilation des pulpes dans la meule solaire !
Nous jetons gaiement nos mots dans le feu,
la cendre dormira de toutes nos insomnies.
Les nerfs chauds du sommeil
rêveront jusqu'au bout du froid.

Ici cet angle, ce chez-nous, défriché dans l'incurable
        infini,

notre camp à l'écart des siècles, au large de nos âmes
sous nos tentes le chuchotement clair-obscur du sang
qui accourt avec ses coraux, ses épis,
ses aveugles.
Dans les yeux grands ouverts lentement le monde se
    consume,
nos mains sur terre s'ouvrent et se fanent.

Soir, rien.
Pourtant le noir se construit, circonspect, minutieux.
De proche en proche, procédant par gangrène dans la
    massive clarté,
par hémorragie.
Murs et collines abattus
présences téméraires dans l'éloignement.
Ailleurs
dessous frileux de feuilles,
chambres,
sans bruit posées à même l'attente.
Patience. Cristaux de patience. Lumières et gestes brisés.
Lagunes d'air sur les reins, sous la main qui les cambre,
foulée du large sur le seuil familier, dépliant ses valves,
ses exodes, ses tumultes
et tu cherches comment la lumière respire
dans tant d'obscur tâtonnement.

Le soleil pourrit sous la peau.
Les ombres sont du sud et les bas-fonds
du ciel se rouillent à l'orée de nos membres.
Nos bouches pleines de myrtilles
entre les colonnes éclatées de mer.

Au creux du soir elle venait
dispersant les chemins
venait dévêtue de distances
venait du non-pays
venait mélodie nue dans sa chair
imprononcée.

Jérusalem 1970, Patmos 1975.

PRINCIPAUX OUVRAGES PUBLIÉS

Poésie

LE QUATRIÈME ÉTAT DE LA MATIÈRE, *Flammarion*, 1966.

GISEMENTS, *Flammarion*, 1968.

SOL ABSOLU, *Gallimard*, 1972.

CORPS CORROSIFS, *Fata Morgana*, 1978.

AMANDIERS, avec huit estampilles d'Etienne Hajdu, *Imprimerie Hofer*, Paris Gentilly, 1980.

ÉGÉE suivi de JUDÉE, *Gallimard*, 1980.

GENÈSE, avec deux eaux-fortes et un frontispice de Zao Wou-ki, *Thierry Bouchard*, 1981.

Prose

APPROCHE DE LA PAROLE, *Gallimard*, 1978.

Traductions

Georges Séféris : TROIS POÈMES SECRETS (en collaboration avec Yves Bonnefoy), *Mercure de France*, 1970.

Georges Séféris : JOURNAL, *Mercure de France*, 1975.

R.M. Rilke : LES ÉLÉGIES DE DUINO, REQUIEM, NOUVEAUX POÈMES, in POÉSIE, *Ed. du Seuil*, 1972.

Janos Pilinszky : POÈMES CHOISIS (en collaboration avec Sarah Clair), *Gallimard*, 1982.

Cet ouvrage, le cent soixante septième
de la collection Poésie,
composé par SEP 2000
a été achevé d'imprimer par
l'imprimerie Bussière à Saint-Amand (Cher)
le 12 octobre 1982.
Dépôt légal : octobre 1982.
Numéro d'imprimeur : 2477.
ISBN 2-07-032229-7   Imprimé en France.

31063